Aprendiendo del Dolor

Títulos del autor
publicados por Editorial Atlántida

HABLANDO CON EL CIELO

ALCANZANDO EL CIELO

APRENDIENDO DEL DOLOR

Aprendiendo del Dolor

JAMES VAN PRAAGH

Traducción
ALICIA DELLEPIANE RAWSON

EDITORIAL ATLANTIDA
BUENOS AIRES • MEXICO

Edición original en los Estados Unidos bajo el título HEALING GRIEF por James Van Praagh
Copyright © 2000 by Spiritual Horizons, Inc. Edición publicada de acuerdo con Dutton,
una división de Penguin Putnam, Inc.
Copyright © Editorial Atlántida S.A., 2001.
Derechos reservados para México: Grupo Editorial Atlántida Argentina de México S.A. de
C.V. Derechos reservados para los restantes países de habla hispana: Editorial Atlántida S.A.
Primera edición publicada por
Editorial Altántida S.A., Azopardo 579, Buenos Aires, Argentina.
Hecho el depósito que marca la Ley 11.723.
Libro de edición argentina.
Impreso en España. Printed in Spain. Esta edición se terminó
de imprimir en el mes de junio de 2001 en los talleres gráficos
Rivadeneyra S.A., Madrid, España.

I.S.B.N. 950-08-2567-8

Dedico este libro a todos los que han experimentado una pérdida que cambió sus vidas.

Tengo la esperanza de que, en alguna forma mínima, las palabras impresas en estas páginas puedan ayudar a calmar sus tormentas y a dar paso a un mañana soleado.

Contenido

Agradecimientos

No sólo he sido bendecido por interactuar con ángeles celestiales, sino que soy afortunado por conocer también a los terrenales. Aquí cito sólo a unos pocos que me han guiado y ayudado para poder entregarte este libro:

Allan Van Praagh —Muchas gracias, papá, por creer en mí. Me enseñaste que la bondad y el amor son las únicas formas para hacer crecer un corazón.

Lynn, Michael y Maura —Cada uno de nosotros camina por su propio sendero, pero es consolador saber que estamos compartiendo juntos el destino.

Linda Carwin Thomchin —Tu paciencia, buena voluntad y fortaleza me han mantenido en marcha. Gracias por dar siempre a mis palabras ese tintineo extra.

Brian Preston —Tú haces que mi corazón desborde. Gracias por la paz y el amor que has traído a mi vida.

Bill y Donna Moller, Marie Levine, Joerdie y Eric Fisher, miembros de Los Amigos Compasivos y a todos aquellos padres que han compartido su profunda pena. Gracias por ser una fuente de coraje, fuerza y comprensión para tantos. Estoy eternamente agradecido por la ayuda de ustedes para divulgar el mensaje eterno del cielo.

Peter Redgrove —Eres un amigo y maestro espiritual. Gracias por alentarme siempre y convencerme de que nada es imposible.

Eby "Jorge" Kaba —Tu amistad, lealtad y bondad sólo pueden ser juzgadas por el brillo de las estrellas. Sólo tú sabes cómo hacerlas resplandecer.

Joan Miller —Gracias por tus actos impensados de bondad y una sonrisa que hace juego con ellos.

Dorothea Delgado —Tú eres mi "hermana del alma" y mi "madre en la Tierra". Gracias por compartir este círculo de vida.

Wendy Rosenthal —Mi vida no ha sido la misma desde que tú me tocaste con tu gozoso entusiasmo y tu inimitable gusto por la vida.

Para cada uno de los que he conocido a través de charlas, conferencias, giras de presentación de libros, conversaciones, seminarios, viajes y cartas. Gracias, almas bondadosas, por conectarse conmigo y reconocer la verdad dentro de ustedes mismos.

Introducción

Durante muchos años he tenido la bendición de ser un instrumento para la gente, para contactarlos con sus seres queridos en el otro lado. Cuando recuerdo esas experiencias, me doy cuenta de que los encuentros con el reino espiritual, junto con las lecciones de mi propia vida, eran parte de la preparación para escribir el libro que estás por leer. Como alguien que ha sido iluminado por las perspectivas de aquellos que han cruzado a la orilla de las tierras espirituales, comparto esta guía contigo, para ayudarte a curar las heridas del dolor y la pérdida.

No voy a aparentar que soy un experto en los campos de la psicología o de la terapia para el dolor; sin embargo, este libro ofrece remedios terapéuticos que yo creo son beneficiosos para todos. Como somos humanos, necesitamos una estructura de contención psicológica a la cual podamos referirnos. Sin embargo, mi enfoque del proceso del duelo incorpora recursos de naturaleza espiritual, y es desde esta perspectiva única que yo presento la información.

He sido médium profesional durante la mayor parte de mi vida adulta y he presenciado muchas situaciones trágicas. He escuchado intensamente durante miles de horas los suaves murmullos entre nuestro mundo terreno y el mundo más sutil y etéreo del espíritu. Milagrosamente he sido testigo de las valiosas palabras de luz y sabiduría de los espíritus, que quiebran los corazones endurecidos por el dolor y devuelven la vida a los apesadumbrados. Ahora deseo compartir contigo estas distintas percepciones, con la esperanza de que puedas conmoverte con el conocimiento de la vida eterna, para que así no tengas que pasar el resto de tus días buscando a tientas en el dolor y la pena. Mi más profundo deseo es que esta nueva perspectiva sea el inicio de una apertura a tu propio descubrimiento espiritual y te brinde serenidad y un nuevo sentido de finalidad en tu vida.

El libro está dividido en cuatro partes y ofrece métodos diversos para enfrentar la pérdida y comprender la pena, en formas saludables y beneficiosas. En la primera parte, "El proceso", me ocupo de las etapas del dolor, de cómo nos apenamos y de lo que podemos esperar mientras atravesamos ese proceso. La segunda parte, titulada "Cuando muere alguien a quien quieres", se refiere a la pérdida de los seres queridos: padres, parejas, hijos, abuelos, hermanos y amigos. Como tú, yo he tenido mi propia cuota de tragedias y hablo de mis experiencias personales con la muerte, la pérdida y el dolor, así como de las de aquellos que han buscado mi ayuda en sus horas más oscuras. También están incluidas las pautas curativas que te ayudarán a hacer elecciones saludables y te darán el valor para seguir adelante. En la siguiente parte del libro, "Pérdidas de diferente clase", describo pérdidas que no son tan obvias como la muerte, tales como el divorcio, la crisis de la mitad de la vida, una enfermedad terminal, la pérdida de nuestra casa o nuestro trabajo y la muerte de una mascota. Podemos no ser conscientes de que situaciones cotidianas, como ésas, son también causa de aflicción, y a menudo no progresamos en la vida porque hemos reprimido sentimientos al ocurrir esas pérdidas. La parte final del libro, "Recuperar nuestra vida", está dedicada a diversos ejercicios, meditaciones y procesos mentales que puedes usar para aclarar temas no resueltos y aprender a manejar sentimientos no deseados, como la culpa, el enojo y la depresión. También incluye preguntas y respuestas sobre el mundo espiritual y el proceso del duelo.

El juego de la vida está lleno de vueltas y giros. A lo largo del camino, he descubierto que es invalorable tomarse un tiempo cada tanto y reflexionar sobre ciertos acontecimientos. Ésos son los "momentos" que nos hacen seres únicos. Al pensar en momentos del pasado, los examino para ver si los he vivido o experimentado a pleno. De esa forma, puedo revisar las elecciones que hice y reconocer el valor que cada uno de esos momentos tiene para ofrecer. Es por esa reflexión que he llegado a la comprensión de que mi vida es el resultado de las elecciones que hice en cada momento en particular. Las vueltas y giros me sirvieron de maestros en el camino siempre sinuoso hacia la sabiduría espiritual.

Al leer el relato y las experiencias contenidas en el libro, quizá comiences a considerar a tus pérdidas más allá de la pena y la tristeza que causan como una oportunidad para comprometerte por entero con la vida. Al hacer eso cada día, podrás reconocer también los "momentos" de tu vida, y, con confianza, tener el deseo de hacer que cada uno valga la pena.

Uno de tus momentos está por comenzar.

Parte I

El Proceso

1

Dolor y pérdida

No importa dónde vivamos o qué idioma hablemos, nosotros compartimos una experiencia común con cada uno de los demás habitantes del planeta: la pérdida de alguien o algo cercano a nosotros. La pérdida puede ser súbita, sin aviso, o predecible, pero aun así somos incapaces de impedir lo que va a suceder. Toda pérdida hace surgir sentimientos y recuerdos, y para algunos esas experiencias pueden parecer sin importancia, mientras que para otros cambian el curso de sus vidas para siempre. Cuando alguien o algo se va de nuestras vidas, experimentamos una serie de sensaciones físicas, emocionales y espirituales conocidas como duelo. En inglés el Diccionario Webster define al duelo como "una profunda e intensa angustia, causada por una dolorosa pérdida; una causa para tal sufrimiento; un percance, una desventura, una perturbación, un disgusto; un resultado desgraciado: desastre".

¿Por qué hay un duelo y por qué tenemos que pasar por ella? El duelo sirve para algo muy importante. Es una reacción a nuestra pérdida. Representa nuestra implícita sensación de inseguridad. Nuestros temores al abandono y sentimientos de vulnerabilidad salen a la superficie, obligándonos a enfrentarlos. El mundo en el cual basamos nuestro sistema de creencias, metas y nuestras vidas en general, súbitamente está fuera de control. Nos sentimos asustados y expuestos. La mayoría de nosotros no quiere sentir o lidiar con esas emociones negativas y, sin embargo, son tan relevantes e importantes para nuestro bienestar, como nuestros sentimientos positivos. Necesitamos tanto lo positivo como lo negativo para ser totalmente humanos. Se ha dicho que uno nunca podrá apreciar las emociones positivas, si nunca conoció las negativas. Es por eso que es tan importante enfrentar las emociones negativas y experimentarlas, porque al hacerlo generamos confianza y esperanza en nuestro interior. Lo peor que podemos hacer es negar y reprimir esas emociones. Con eso, sólo conseguiremos retrasar nuestro crecimiento espiritual.

Otro factor a tener en cuenta es que el duelo no es una enfermedad de la que nos recobraremos. No es simplemente una cosa, sino un proceso de sentimientos y condiciones físicas, y uno no puede juzgar cuánta pena es suficiente en el duelo. No debes nunca sentirte presionado por lo que se supone debe ser tu dolor, porque en eso no hay un camino correcto o uno equivocado. Es importante recordar que hay formas saludables y constructivas de atravesar el proceso del duelo, así como también hay formas destructivas y enfermizas, que pueden causar un sufrimiento mayor.

Cada vez que muere un ser querido, perdemos un poco de esperanza en un futuro mejor. Nos han arrancado a un ser humano de nuestras vidas. Una relación se corta de un soplido. Nos sentimos frustrados, enojados, tristes y confundidos. Lamentamos las cosas que no hicimos y las palabras que no pronunciamos. Nos preguntamos el motivo por el que los inocentes o los buenos mueren jóvenes y los inservibles viven tanto. La pena del duelo por nuestros seres queridos no es un proceso intelectual. Tenemos que aprender a entender nuestros propios sentimientos y llegar a un acuerdo con la situación.

Hasta cuando muere alguien importante o famoso, pasamos por un proceso de duelo. Todo depende del interés que tengamos por esa persona; podemos llegar a experimentar su muerte como una pérdida personal. Cuando murió John Kennedy hijo, mucha gente que no lo conocía lloró por él. Su muerte hizo surgir recuerdos de la muerte de su padre, su tío, su madre y de una época que parecía más sencilla. En momentos como ése, hacemos el duelo por la pérdida de lo que pudo ser, en especial, si sentimos que la vida pasa demasiado rápido. También sentimos nuestra propia fragilidad como seres humanos, porque no sabemos cuándo nos llegará nuestra hora. Y porque la muerte es atemorizante y desconocida, hacemos un duelo por nuestra propia mortalidad.

COMUNICAR TU PENA

Ante la arremetida de cualquier pérdida, nuestra primera reacción habitualmente es de conmoción o incredulidad. Después de un tiempo, llegamos a comprender nuestra pérdida y nuestros sentimientos se vuelcan a la tristeza, la furia, la soledad, la culpa, la desesperación y todo un conjunto de emociones, enfermedades y otras condiciones físicas. Algunas veces, nuestra pena parece un proceso de duelo interminable, como si estuviéramos atrapados en un abismo de oscuridad, sin posibilidad de escapar. Aunque pérdida y dolor son cosas que ocurren con frecuencia, la mayoría de nosotros estamos mal preparados para manejarlos. Antes que nada, no estamos acostumbrados a hablar de nuestro dolor. En cambio, nos guardamos pensamientos y sentimientos y nos apresuramos a rechazar o ignorar el dolor que sentimos. En segundo lugar, a menudo racionalizamos: "Si no pienso en ello, ya pasará". Como sociedad, hacemos poco para entender el efecto de la pérdida, o incluso para permitir que las personas tengan el tiempo necesario para reconocer el dolor, la tristeza y la confusión que sienten.

Debido a que nosotros, como sociedad, preferiríamos ocultar y negar la muerte y la pérdida —en lugar de abarcarlas e instruirnos adecuadamente—, nunca nos han enseñado a vivir el duelo como corresponde. En consecuencia, cuando ocurre un hecho como la muerte, o el comienzo de una enfermedad terminal, no tenemos los medios apropiados para tratar esa situación. Sentimos que es más facil negar su existencia, porque el dolor es insoportable. Sin embargo, si tuviéramos un conocimiento del duelo y de las emociones nacidas de él, estaríamos mucho mejor preparados para abordarlas en una forma positiva, constructiva y para enfrentarlas con menos temor y ansiedad.

El duelo es un proceso natural de la vida y, como proceso, requiere tiempo para atravesarlo. En lugar de permitirnos la oportunidad de atravesar la barrera de la pena y reconstruir nuestra vida con un sentido de esperanza y renovación, esperamos terminar con el tema, con el menor despliegue posible. ¿Pero cómo vamos a terminar con nuestra pena si no comprendemos por lo que vamos a pasar? Lo que realmente deseo es ayudarte, compartiendo mis experiencias y las experiencias de otros que han pasado y siguen pasando por el proceso del duelo. También quiero brindarte caminos y métodos —desde un punto de vista espiritual— para observar tu propia pena, para que puedas salir del dolor y la confusión con una perspectiva totalmente nueva. Tu cambio de actitud puede ayudarte a convertirte en una persona íntegra y llena de amor. Porque tendrás un infinito conocimiento de ti mismo y de los demás y así podrás dar los pasos necesarios para crearte una vida más plena y feliz.

La única forma de evitar la pena es evitar la vida y vivir sin amor. Sentir pena es muy humano. Es un proceso que puede curar nuestros trastornos emocionales y nuestra incertidumbre mental. Cada uno siente diversos grados de angustia y sufrimiento durante el proceso, y esos sentimientos son naturales y normales. Un duelo saludable es hacerse responsable de su propia vida. A fin de continuar la vida en cualquier forma significativa, debes permitirte vivir el duelo.

Uno de los primeros pasos importantes para reconocer tu sentido de pérdida es decir adiós a tus seres queridos. Mucha gente se niega a decir adiós, porque sienten que si lo hacen, están dejando ir a la persona o terminando con cualquier oportunidad de volver a hablar con él o ella otra vez. Decir adiós nos ayuda a darnos cuenta de que esa persona sólo se ha ido físicamente. La mente necesita hacer algún tipo de cierre. En nuestra cultura, hemos creado ciertos rituales para despedirnos. Asistimos a un entierro o participamos de un servicio religioso. Encendemos velas en la iglesia o rezamos por el difunto. Esos rituales nos resultan necesarios como seres humanos. Muchas veces, un espíritu comunica lo complacido que estuvo al ver miembros de su familia presentes en su funeral. Los espíritus en general se quedan por allí para esa ceremonia. Un ritual de esa clase, no sólo ayuda a readaptarse a los vivos, sino que también ayuda al espíritu a reconocer que ya no pertenece al plano físico. No importa en qué forma nos despidamos; sea en una ceremonia formal o en la privacidad de nuestros corazones, lo importante es que lo hagamos. Recuerda que el espíritu nunca muere. Podemos consolarnos con el conocimiento de que nuestros seres queridos siempre están cerca de nosotros. Podemos hablar con ellos y nos escucharán. Recuerda también que la vida es un constante cambio y que nada se pierde nunca. Lo que fue se convierte en otra cosa.

También es necesario alcanzar un fin cuando ocurren otra clase de pérdidas. Tenemos que ser capaces de decir adiós a una variedad de situaciones y circunstancias que ya no son parte de nuestra vida diaria. Decir adiós nunca es fácil, pero a menudo es necesario. Llega un momento en que tenemos que cerrar una puerta en algún capítulo de nuestras vidas y llegar a una conclusión en nuestras mentes. Toda pena necesita ser sentida y comprendida. Necesitamos aceptar la pérdida a fin de comenzar el proceso de curación. Si no vivimos el duelo, permaneceremos estancados y cargaremos con el peso de un asunto sin terminar durante el resto de nuestra vida. Un duelo sin elaborar afecta nuestras decisiones en la vida e influye en cada situación que se nos presente. Al reprimir nuestros verdaderos sentimientos, impulsamos más profundamente el dolor. Debido a eso, nunca podremos vivir la vida en su mayor potencial. En cambio, nos limitaremos a existir.

Una perspectiva espiritual

Cuando abandonamos el cuerpo y cruzamos hacia el mundo espiritual, abrimos la puerta a la vida eterna. Es allá donde descubrimos que somos seres espirituales que tienen experiencias humanas. Encontrarán, a través de las historias relatadas en este libro, que estamos en esta tierra para desarrollar y evolucionar espiritualmente. Para eso, elegimos, antes de encarnar en nuestros cuerpos físicos, colocarnos en determinadas situaciones para poder crecer. Algunas de las situaciones pueden ser dolorosas: perdemos un hijo o atravesamos un divorcio. Nos enfermamos y quedamos discapacitados. Perdemos nuestra casa y todas nuestras posesiones. Algunas situaciones pueden ser menos penosas pero, a pesar de todo, perturbadoras. Nuestros hijos crecen y se van. Nosotros envejecemos solos, sin nuestros amigos o nunca alcanzamos nuestras metas o nuestros sueños. Esas lecciones son parte del increíble desarrollo y comprensión que un alma crea para sí misma. Debes recordar que estás participando de una acción espiritual, no sólo de una física. Estás representando tu papel para evolucionar a la próxima fase de tu desarrollo espiritual. Tal vez tengas que cumplir una obligación kármica con otra persona. Quizá tengas que cambiar ciertas creencias sobre tu vida, o tengas que aprender a controlar tu ira. Tal vez tengas que adquirir confianza en ti mismo y autoestima. También, quizá tengas que sacrificar tus necesidades por algún otro. No importa cuáles sean los motivos, el alma siempre elige pasar por una experiencia mientras está en la Tierra. Si tenemos esto en cuenta, llegaremos al conocimiento de que la vida es un proceso continuo y de que debemos entrar en lo físico y salir otra vez. Ésta es sólo una de las muchas vidas de nuestro viaje espiritual. Hay una razón y un propósito por el que estás vivo justo ahora. Deja que tu pena se convierta en una oportunidad para que tu alma crezca.

Las condiciones del duelo son comunes a todos, como podrás leerlo en el próximo capítulo sobre las etapas del duelo. Nosotros siempre podemos elegir avanzar con optimismo o quedarnos paralizados en la pena.

2

El proceso del dolor

L a vida sólo puede ser medida por las experiencias que acumulamos en esta tierra. Pero por su propia naturaleza, la vida es un conjunto de eventos que trascienden nuestra identidad emocional, física, mental y espiritual. El propósito de la vida es aprender a apreciar esos distintos aspectos de nosotros mismos. Mientras experimentamos los altos y bajos de la vida, con optimismo crecemos en el conocimiento y sabiduría de nosotros mismos como seres espirituales, afectuosos.

Una parte importante y dolorosa de la experiencia de la vida es el duelo, que es una consecuencia natural de la pérdida. Invariablemente es una parte de la vida. El grado de dolor y de incomodidad asociado con el duelo, variará según el grado de la pérdida y nuestra relación con ella, sea la de un ser querido, una circunstancia o una mascota. Cada persona tiene un impacto diferente y reacciona distinto, según su modalidad.

En mi primer libro, *Hablando con el Cielo*, detallé las reacciones iniciales por las que uno pasa durante una pérdida. Ahora me gustaría extenderme en esa lista e incorporarle las etapas del duelo.

Las etapas del duelo

Cuando se repasan y utilizan esas etapas como referencia, te darás cuenta de que todas ellas son saludables y que cada etapa puede ser experimentada en formas diferentes y en momentos distintos. No hay reglas o tratamiento fijo que acompañe esos sentimientos o etapas. Una persona puede quedar detenida en una etapa y no ser capaz de pasar a la siguiente. Con frecuencia, esas etapas pueden mezclarse o se pueden experimentar varias etapas en diferentes períodos. Cada persona tiene su propia agenda y horario con el que trabajar y, por consiguiente, cada uno experimentará las distintas etapas en una forma única. Hay que tener paciencia y darse cuenta de que el duelo es un proceso. Todos somos "obras en progreso" en nuestro viaje por la vida y nada puede realizarse de la noche a la mañana.

Muchos sufren la pena solos, pero hay otros que no pueden salir adelante y necesitan ayuda o guía de otros. Un terapeuta, un miembro de la familia o un amigo pueden cumplir un papel importante en el proceso de curación. Esas ayudas externas te permiten compartir tus pensamientos y sentimientos íntimos. En muchas oportunidades, todo lo que la persona necesita es hablar con alguien. No está buscando alguien que opine o le conteste, sino simplemente que lo escuche. Escuchar ayuda a una persona que sufre una pena a verbalizar o expresar su dolor. Y pese a que la situación de pérdida varía, desde perder una esposa a perder un trabajo, el proceso es el mismo. Otra vez, el grado en el que somos afectados dependerá de la profundidad con que sentimos la pérdida.

Conmoción

La primera reacción ante una pérdida es de absoluta incredulidad. Una persona rara vez está preparada para el acontecimiento y es tomada totalmente por sorpresa. El mundo se pone cabeza abajo y uno se siente por completo fuera de control. Sea que se trate de una muerte súbita o causada por una larga y duradera enfermedad, la conmoción ante lo irrevocable sigue siendo la misma. La noticia de una pérdida puede paralizar incluso al más fuerte de nosotros. La carga emocional es tan grande que uno siente como si lo hubiera golpeado un camión.

Esa primera etapa del duelo es un momento en que, habitualmente, no podemos comprender el impacto de lo que ha sucedido y no lo aceptamos como algo real. Estamos aturdidos. Nos sentimos entumecidos. De la misma forma en que el cuerpo entra en shock después de un accidente grave, la mente se conmociona para poder soportar el cataclismo emocional. En nuestras mentes, podemos repetir una y otra vez frases como: "No puedo creerlo" o "No puede estar muerta", o "Esto no puede estar sucediendo". Es importante que te des cuenta de que no estás enloqueciendo y de que tu respuesta es realmente normal. Tu estado de shock puede durar apenas unas pocas horas o algunos meses. Puedes sentir como si estuvieras viviendo a través de una pesadilla de la vida real, mientras sigues repitiendo: "No puede ser verdad". El aturdimiento es temporario, pero la conmoción puede continuar por cierto tiempo.

Cuando la gente está conmocionada, muchas veces actúa como un robot, como si simplemente realizara movimientos. A menudo se pierde el sentido de la conciencia al hacer las tareas diarias. También es muy común tener pérdida de memoria. Hasta las cosas sin importancia que dabas por sabidas parecen desvanecerse. Podemos colocar cosas fuera de lugar u olvidar detalles. La gente nos habla, pero no oímos lo que nos está diciendo. No podemos hacer planes para mañana. Mucho menos para el futuro. Es como si nuestro cuerpo funcionara con lentitud. Esas reacciones son todas parte del intenso shock que sentimos.

La conmoción es más o menos un mecanismo de defensa. Cuando no somos capaces de encargarnos de nuestro estado emocional en un momento determinado, la conmoción nos ayuda a pasar los días posteriores al devastador evento, para que no sintamos el impacto de la muerte o el cambio de circunstancias. Cuando la conmoción y el aturdimiento comienzan a disiparse, entonces comenzamos a comprender la realidad de la situación. Pero todavía puede ser que sigamos repitiendo: "No puedo creerlo". Eso es porque estamos abordando una situación totalmente diferente y todavía tenemos que acostumbrarnos a una nueva forma de vida.

Negación

La negación es un bloqueo asociado a la conmoción. Esas dos reacciones casi surgen en paralelo una con otra. La negación, como la conmoción, actúan como un amortiguador de la realidad de la situación. Cuando estamos en la etapa de negación, no nos hacemos cargo de los sentimientos de nuestra nueva condición. Como estamos muy acostumbrados a la gente que había en nuestras vidas, o a nuestros antiguos modelos y situaciones, cuando algo cambia, no queremos aceptarlo. En lugar de eso, negamos su existencia. Mientras más tiempo dura la negación, más tardamos en enfrentar nuestra pena.

Hay diferentes niveles de negación, según la relación que el apenado ha tenido con la pérdida. La negación sigue siendo una parte de nuestras vidas, hasta que seamos capaces de reconocer nuestra pérdida y sufrir la pena. Muchos de los que permanecen en la negación, comienzan a encontrar otras formas para adormecer su dolor, usando alcohol y drogas. En el caso del divorcio, algunas personas se lanzan directamente a otra relación y no se dan el tiempo necesario para vivir el proceso del duelo. Permanecen en la negación porque no quieren tener que sufrir todo el dolor y la tristeza de su tragedia.

Cuando surgen situaciones desagradables, es muy común encontrar otras distracciones o fantasías para mantener nuestra mente ocupada. Eso nos impide también confrontar nuestro dolor. Imaginamos que, si no pensamos en algo, desaparecerá y todo volverá a ser normal. Nos engañamos. Tarde o temprano tendremos que despertar de nuestra fantasía, si queremos progresar en la vida. Mientras más nos demoremos en estado de negación, más se convertirán nuestros engaños en una cruel pesadilla. Hasta que, finalmente, la realidad se impone.

Reconozco que vivimos en una sociedad construida sobre la base del escapismo y la fantasía. La negación parece una buena forma para lidiar con muchos de los temas desagradables que existen en nuestro mundo. No nos gusta pensar en ellos y preferimos evitarlos. No nos gusta sentirnos indefensos y sin esperanza. Ése no es el programa que la sociedad apoya. Nadie nos enseña qué hacer o cómo sentir o comportarnos, cuando se producen cambios que alteran nuestra vida. Se supone que no debemos parecer débiles o vulnerables. Dios no permita que lloremos. Ésos son rasgos de un carácter defectuoso que hace que los demás se alejen. Esa clase de conducta es inaceptable y no queremos exponernos a las exigencias de este mundo, cuando no estamos en nuestra mejor forma. No es de extrañar que tantos de nosotros neguemos nuestra pena y dolor, antes de pasar por todo eso.

Cuando negamos una situación, ocultamos la pena y actuamos como si todo fuera normal. Sin embargo, hay que sentir la pena para comenzar a curarse. Cuando nos negamos a sentir la pena, nos aturdimos y no sentimos otras emociones como el amor, la alegría, la risa, que hacen que la vida sea llevadera y agradable. Uno necesita sentir todas las emociones, sean negativas o positivas, para poder ponerse rápidamente en camino para curarse de la pérdida. Cuando la negación se vuelve tan aguda que la persona se niega a enfrentar la vida como es, o no quiere vivir la nueva realidad, entonces necesita un terapeuta. Solamente un profesional puede ayudar de verdad a alguien en ese estado inconexo.

Trato

Es habitual comenzar a hacer tratos antes de la muerte de un ser querido, pidiendo a Dios que le conserve la vida, a cambio de una modificación en nuestra conducta. "Voy a dejar de fumar", o "A partir de ahora iré a la iglesia". Esos convenios existen también después de una pérdida. Ésa es una etapa que usamos como una manera de controlar la situación. El trato es otro tipo de mecanismo de defensa. He trabajado con gente que está profundamente conmocionada y que niega una muerte, y que sigue viviendo su vida como si nada hubiera sucedido. Viven en una realidad suspendida. Una mujer seguía preparando la comida de su marido, noche tras noche, creyendo que podía regresar a casa para comer. Incluso conversaba con él, como si estuviera en la habitación. Esa conversación continuaba cada día. Otra mujer seguía esperando que su hijo muerto entrara por la puerta. Cada vez que sonaba el teléfono o el timbre de la puerta, corría a responder, esperando que fuera su hijo. Pensaba que tal vez hubiera un error de identidad y que su hijo regresaría en cualquier momento. En su mente, pensaba que Dios iba a dar a su hijo una segunda oportunidad en la vida.

Esos tratos son muy comunes cuando la persona no está presente en el momento de la muerte o no presencia el funeral. En esas circunstancias, no ve al muerto con sus propios ojos y, por consiguiente, sigue creyendo que eso no sucedió en realidad. Porque nunca dijo adiós.

Los tratos también se utilizan en situaciones como las de un divorcio o cuando se pierde un trabajo. La persona promete a Dios que se comportará de una forma particular y entonces todo volverá atrás. O algún milagro impedirá que las cosas sucedan. Sin embargo, pese a la cruel realidad, el tiempo no puede volver atrás. Los tratos, como la negación, nos impiden enfrentar la realidad. Mucha gente cree que un milagro puede suceder e intentan hacer un trato con Dios, con la esperanza de que al enmendar su conducta, la situación regrese a su estado normal. Algunas veces la conmoción de la pérdida resulta demasido para soportarla y nos refugiamos en esa clase de razonamientos.

Los tratos confortan temporariamente a algunas personas, mientras se acomodan a la verdad de la situación. Esa etapa de pena y pérdida es normal hasta un cierto punto, pero si se demora demasiado tiempo, puede impedir la curación y la capacidad para seguir con la propia vida. Conozco personas que entran y salen de esa etapa durante años. Sin embargo, si vives en un mundo ilusorio, donde la negación y los tratos lo abarcan todo, comenzarás a separarte de la realidad que te rodea. Uno debe ser un participante activo en la vida, en todos los niveles: físico, mental, emocional y espiritual.

Enojo

Trata de recordar la última vez que estuviste en una situación en la que sentías que, sin importar lo que hicieras, no podías salir de ella. ¿Te sentías impotente? ¿O tenías la sensación de que estaba fuera de tu control y que había otra fuerza involucrada? La sensación de ser impotente y estar fuera de control son características del enojo. Es muy común enojarse cuando alguien muere, porque la muerte es un hecho que no podemos controlar.

Ante todo, tu ira está dirigida a aquellos que sientes como responsables de colocarte en una situación particular. Estás enojado con el muerto por dejarte para que te arregles solo. Un cónyuge está enojado con el otro por causar el divorcio.

Tú estás enojado con el jefe que te despidió. Preguntas: "¿Cómo me hiciste eso a mí?". En segundo lugar, culpas a Dios por la situación inoportuna. Te sientes la víctima de algún poder invisible que quiere castigarte. "¿Cómo pudo Dios robarme esta vida o colocarme en esta horrible situación?" Y por último, estás enojado contigo. "Pude haber hecho algo para mantenerla con vida. Debía haber actuado mejor. ¿Cómo pude ponerme en esta espantosa situación?"

En mi trabajo, suelo tratar con gente que está muy enojada por la muerte de un ser querido. A menudo se sienten abandonadas. "Me dejó con un lío. No tenía derecho a dejarme solo." Parte del enojo se debe a dificultades económicas, en especial si el muerto estaba a cargo del dinero. Algunos enojos se dirigen a los médicos o al personal del hospital por no haber cuidado mejor al enfermo cuando todavía estaba vivo. Otros se enojan con ellos mismos por no haber sido suficientemente buenos con sus seres queridos. "No le dije todo lo que la quería." "Me quejaba demasiado cuando él estaba vivo." El sobreviviente puede desplegar su enojo en muchas formas, tales como rabietas o explosiones. O el enojo puede ser interno y causar depresión o desesperación.

Algunas personas permanecen en un estado de enojo durante largos períodos y otros siguen enojados por el resto de sus vidas. Está bien sentirse enojado por un tiempo. De hecho, es muy normal. Aunque no es agradable sentir de esa forma, es parte del proceso. Tenemos derecho a sentirnos molestos. Tenemos que ser capaces de expresarnos de esa manera; expresar la ira es saludable. Muy a menudo la gente siente que no debe enojarse y reprimen sus sentimientos de impotencia. Cuanto más reprimamos o contengamos nuestra ira inexpresada, más tiempo permanecerá en el interior de nuestro cuerpo. Habitualmente, aparecerá bajo la forma de una enfermedad o de algún tipo de incapacidad. Deben recordar que el cuerpo sólo presenta lo que se le ha dado. Si uno acumula resentimiento y enojo, también pueden aparecer en otras zonas de nuestra vida. Pueden afectar las relaciones con los demás. Pueden disminuir la capacidad de trabajar con eficiencia y lograr éxitos. Puedes deprimirte mucho y entonces comenzarás a tomar alguna clase de drogas para sentirte mejor. Un día te despiertas y no comprendes por qué tu vida es un revoltijo. Si eres capaz de averiguar el origen de tus sentimientos, descubrirás que nunca expresaste tu enojo por una situación en la que te sentías fuera de control. Nunca dejaste salir tu ira.

La ira es una emoción que resulta evidente en la interacción de una persona con las demás. Podemos sentir, intuitivamente, el enojo de alguien. Lo veo todo el tiempo en mi trabajo. Algunas veces una persona puede dar un alarido o gritar sin razón aparente. No se da cuenta de que ese estallido, en realidad, está ocultando una pena de raíces profundas. Mientras más se reprimen los sentimientos, más fácil es que estallen. Eso puede llevar a consecuencias devastadoras. Esto es cierto especialmente en el caso de los adolescentes, con amigos que mueren prematuramente. Si no están preparados para manejar su enojo, pueden expresarlo con violencia. Es por eso que es tan importante permitir a todos, incluidos niños y adolescentes, que hablen de sus sentimientos. La pena que no se expresa en los adolescentes, en especial en los varones, puede conducir a matanzas y violencia en grupo.

Sería mejor si todos aprendiéramos a dejar salir nuestra ira sin lastimar a los demás. Hay muchas formas seguras de expresar el enojo. Ejercicios físicos y actividad es una manera de ayudar a sacar del cuerpo ese tipo de energía. Si estás enojado con alguien, está bien que se lo digas sin que "se agarren a tiros". Y también puedes ir afuera y gritar. Yo suelo dejar salir la furia, en la privacidad de mi habitación. Debemos dejar salir nuestro enojo, de otra forma se convertirá en cólera. Y todos sabemos cómo se expresa la cólera en nuestra sociedad. Cuando se libera nuestro enojo, nos sentimos aliviados. Lo colocamos "fuera de nuestro pecho".

Si eres el receptor final de un ataque verbal o de furia, debes darte cuenta de que el otro está sufriendo alguna clase de pena. Tú estás simplemente ayudándolo a desahogarse. El encargarse del enojo de otro, puede ser intimidatorio para la mayoría de nosotros, en especial, si no sabemos cómo manejar nuestros propios sentimientos de conflicto interior. Recuerda que no necesitas defenderte. Si te desquitas contra otro, simplemente aumentarás la agresión de la otra persona y tendrá más ira. Mi forma favorita de manejar sentimientos de enojo, cuando alguien me provoca, es contar con lentitud hasta diez. Encuentro que eso disminuye la energía emocional que estoy sintiendo y me proporciona el tiempo necesario para tomar otra vez el control de mis pensamientos y sentimientos.

Culpa

Otra reacción muy común ante la pérdida es la culpa. La mayoría de la gente no se da cuenta de que la culpa es una etapa auténtica del duelo. A menudo la gente siente que falló en un deber o en una obligación o que hizo algo mal. Otro aspecto de la culpa es reprocharse a uno mismo. Por ejemplo, cuando una madre y un padre pierden un hijo, se sienten con frecuencia responsables de la muerte del niño. Esto puede ser irreal, pero a pesar de eso, verdadero. Los padres se sienten superados por la culpa. En una oportunidad tuve dos sesiones seguidas en Phoenix, Arizona, y en ambos casos involucraban la muerte de un hijo. El primero era el caso de una chica muerta en un accidente de auto y el segundo, un muchacho en una moto, atropellado por un auto. En las dos situaciones, los padres se sentían culpables por esas muertes. Sentían que debían haber prevenido a sus hijos de alguna manera o debían haberlos mantenido alejados del peligro. Como los padres son los protectores de los hijos, cuando un hijo muere, automáticamente sienten que no han hecho lo suficiente. Esas dos parejas, en realidad, creían que eran culpables. Cuando los espíritus de sus hijos llegaron, les dijeron a sus padres que no había nada que ellos hubieran podido decir o hacer para evitar que ocurrieran los accidentes. "No podías prevenirme sobre el accidente —dijo la muchacha a su padre—. Era algo por lo que tenía que pasar y no había nada que pudieras hacer para evitarlo." Sumado a eso, los padres siempre sienten que ellos deberían morir primero. Es lógico, por supuesto, pero tenemos que tener en cuenta que estamos en una travesía espiritual. La vida no se limita al mundo material. Aun así, la muerte de un hijo siempre resulta un fracaso personal para los padres. La culpa por lo general se convierte en sentimientos de inutilidad y condena.

La culpa es aún más profunda cuando uno es parte de la tragedia que se llevó la vida de alguien. Esto se conoce como "la culpa del sobreviviente". Por ejemplo, alguien a quien amas muere en un accidente de auto, cuando estabas manejando. Cuando la gente está involucrada en cualquier tipo de desastre, como accidentes de aviones, tiroteos, bombardeos, etc., la pena de los sobrevivientes es enorme. Se condenan a sí mismos. "¿Por qué no me senté en ese lugar?" "Yo ya viví mucho, ¿por qué no me fui yo?" "Ella era una buena persona." "Tendría que haber sido yo." Los sobrevivientes se sienten culpables porque están vivos y otro murió. Y además se agrega la presión de los miembros de la familia del difunto que, secretamente, suelen culpar a los sobrevivientes por estar vivos.

Es frecuente que cuando muere un ser querido, muchos temas queden sin resolver. Deseamos haber podido decir a la persona cuánto lamentamos algo que hemos dicho o hecho algo en el pasado. Sentimos culpa por no haber cumplido nuestras promesas. Tendríamos que haber intentado previamente alguna clase de reconciliación. Nos devanamos los sesos con: "si hubiera hecho esto o si hubiera hecho aquello". Muchas veces nos sentimos culpables por detalles insignificantes. "Siempre le gustaba el helado de chocolate. ¿Por qué no se lo di más a menudo?" De alguna manera equiparamos el helado de chocolate con poder prolongar la vida o tal vez hacer el final más soportable. Debemos tener cuidado de no manipular nuestros pensamientos hacia la culpa. Es por eso que debemos tener una clara comprensión de lo que motiva esta conducta.

Muchas veces la gente siente culpa porque no estaba presente al ocurrir la muerte de un ser querido. Eso aparece en muchísimas de mis sesiones. La mayoría de las veces, un espíritu elige, de todos modos, irse cuando no hay nadie alrededor. Es raro, si es que sucede, que los espíritus culpen a otros por no estar con ellos al final. La muerte es siempre una elección, no un accidente que espera para producirse. No hay necesidad de que nos agobiemos con culpas.

La gente también se siente culpable por sentirse feliz o aliviado ante una situación. "No debería estar feliz. Esto no debería sucederme a mí, no me lo merezco." Esas dudas y autocríticas siempre deterioran nuestra propia imagen y tienen efectos dañinos y de larga duración a lo largo de nuestra vida.

Culparnos por una muerte o por cualquier otra situación desagradable que ocurra en nuestra vida es algo común. Nos retorcemos las manos y nos tiramos de los pelos. Maldecimos nuestras deficiencias y repetimos nuestros "debería-tendría". Nos sentimos culpables porque creemos que, al hacerlo, algo cambiará. Tal vez si pudiéramos explicar racionalmente por qué muere una persona o por qué perdimos la casa o por qué tenemos cáncer, podríamos encontrar razones para echarnos la culpa. Entonces podremos castigarnos por algo que sentimos que podíamos haber prevenido. Ése es el problema con la culpa.

En todas esas circunstancias, necesitamos evaluar adecuada y honestamente nuestras situaciones y considerar si estamos creando escenarios irreales y si ponemos en ellos más de lo que realmente tienen. ¿Podemos cambiar? ¿Es el momento de terminar con una relación o situación en nuestras vidas? Debemos decidir sin prejuicios o culpa. Sentirse culpable por algo que ha pasado, no lo cambiará. Tener culpa ciertamente impedirá tus progresos para curar tu corazón. En cambio, trata de mirar con objetividad la situación por lo que es. Pregúntate: "¿Qué lección estoy aprendiendo de esto? ¿Cómo cambiará mi vida? ¿Me convertiré en una persona más misericordiosa y afectuosa a causa de ello?". Por último, pregúntate si ese conocimiento recién descubierto puede ayudar a otro. Si es posible, entonces estás eligiendo sanar tu vida, en lugar de revolcarte en la culpa.

Tristeza y depresión

La tristeza es la emoción más evidente después de una pérdida. Experimentamos la más profunda desesperación y depresión. Comenzamos a encerrarnos, alejándonos de la interacción social. Nos ubicamos en un aislamiento autoimpuesto, en donde nos sentimos totalmente solos y desvalidos. Caemos en una depresión espantosa. Ésa es una de las etapas más duras para sufrir y puede durar un tiempo considerable. A menudo, la tristeza y la depresión son corrientes ocultas que atraviesan todo el proceso de la pena. Nos damos cuenta de que la persona que perdimos, sea la pareja, padres, un amigo o un hijo, no estará más con nosotros físicamente. Sabemos que nunca volveremos a ver a ese ser querido. Nos preguntamos: "¿Cómo hago para seguir?". Lo mismo ocurre cuando perdemos una mascota, nuestra casa o trabajo, o alguien muy cercano tiene una terrible enfermedad. La tristeza y el dolor llenan nuestros corazones. Reconocemos que una situación ha cambiado y que la vida nunca volverá a ser la misma. Todo lo que era cómodo y familiar se ha ido. Resulta difícil volver a casa y comenzar a vivir solos, o reacomodar nuestras vidas para ocuparnos de padres ancianos. Nos preguntamos por qué la vida es tan difícil. Podemos sentir que nos ahogamos y que no hay nadie cerca para tirarnos un salvavidas. Pensamos en nuestra propia mortalidad, nuestros propios deseos y nuestro futuro. ¿La vida tiene algún significado?¿Para qué estamos aquí? Descubrimos una sensación de hastío acerca de muchas cosas, pero no tenemos forma de cambiarlas. Es importante reconocer las señales de la depresión y ser capaces de llegar a un acuerdo honesto con lo que experimentamos. La depresión benigna es normal durante el proceso del duelo. Significa que estás sintiendo y reaccionando ante una pérdida.

La depresión puede apoderarse de nuestras vidas si no tenemos un núcleo espiritual en nuestro interior. Si no tenemos una verdadera comprensión espiritual del significado de la vida y la muerte, nos hallaremos luchando por llegar a un acuerdo con nuestra pérdida. Ése es el tiempo para desarrollar nuestra identidad espiritual. Al final del libro, hay ejercicios y meditaciones que te ayudarán a centrarte en el espíritu interior.

La depresión se vuelve peligrosa cuando persiste demasiado tiempo. Una persona puede andar por allí como un zombie o convertirse en un solitario. Repito, cuando cualquier etapa de la pena se agiganta hasta abarcarlo todo, detiene nuestra capacidad para funcionar como participantes activos de la vida. Y por lo tanto, también detiene nuestra curación. Hay que darse cuenta de que una pena enfermiza es un retraso para el espíritu. Tenemos que recordar que todavía estamos vivos y que, por lo tanto, todavía tenemos un propósito para cumplir. Dios no comete errores. A continuación, nombro algunos de los síntomas de la depresión severa:

- Falta de interés en lo que alguna vez fue parte de tu vida
- Un cambio drástico en las pautas alimentarias y de sueño
- Frecuentes e incontrolables estallidos de llanto
- La necesidad de estar totalmente solo
- Alejarse de todas las actividades sociales
- Sentimientos de absoluta desesperanza y desamparo
- Pensamientos suicidas

Cuando estamos con una depresión severa, conseguir ayuda puede resultar muy difícil. Por eso es necesario tener una persona o un grupo que nos apoye.

Manifestaciones físicas de la pena

El miedo y la ansiedad son también parte del proceso del duelo. Miedo es algo que no esperamos encontrar, porque la tristeza y la pena llenan los días. Pero nos volvemos ansiosos y nos atemoriza un futuro sin nuestra esposa o pareja o amigo. Después de la pérdida de una casa o un trabajo, podemos empezar a temer la oscuridad, o evitamos correr cualquier riesgo. La vida es como un espejo. Refleja lo que nosotros enfrentamos a él. El miedo y la preocupación constantes habitualmente se manifiestan en el cuerpo, a través de una variedad de síntomas físicos y dolencias, como los siguientes:

- Pérdida de apetito
- Mareos y desfallecimientos
- Palpitaciones
- Pérdidas de memoria y concentración
- Insomnio
- Dolores de cabeza
- Boca seca
- Dolores de estómago
- Palmas transpiradas
- Falta de higiene diaria
- Incapacidad para tragar
- Dolores y calambres musculares

Cuando pasamos por alguna clase de trauma en nuestra vida, nuestro cuerpo reacciona naturalmente en formas diversas. Es normal sentirse ansioso o con temor durante el proceso de duelo. Estamos inseguros y confundidos. Incluso hasta podemos sentir pánico. Todos esos sentimientos son normales. Hemos pasado por un trance muy difícil. Una mujer quería tener una sesión conmigo, pero no podía dejar su casa después de la muerte de su marido. Se había casado a los dieciocho años y, en treinta años de matrimonio, se había separado solamente una vez de su marido. Su autoestima estaba tan firmemente ligada a su marido, que sentía que había perdido su identidad. Su papel como esposa, compañera y amante había terminado. "¿Quién soy?", se preguntaba. Se sentía confundida y desorientada y había desarrollado agorafobia. También tenía dificultades para comer y dormir. Tenía tanto miedo de salir, que no podía volver a su trabajo y eso creaba un gran problema económico en su familia. Esos síntomas persistieron durante un año, mientras sufría el duelo por la muerte de su amado marido. Poco a poco, con la ayuda de sus amigos y sus hijos, comenzó a recuperar algo de su confianza y su miedo empezó a calmarse. En la actualidad, tiene un nuevo trabajo y está mucho mejor.

Es importante que nos demos cuenta de que nuestros síntomas físicos son en realidad parte de nuestro estado emocional. Uno no puede existir sin el otro. Las náuseas, la garganta o la boca seca, el insomnio, etcétera, son manifestaciones de la tristeza, miedo, culpa y ansiedad que uno siente como parte de la pena. Si hemos perdido a un hijo, nos sentimos ansiosos por el bienestar de los otros. Si perdimos un trabajo, nos da miedo convertirnos en desocupados o peor aún, que nuestros amigos y vecinos nos eviten. Esos pensamientos fatalistas y sombríos carecen, en gran parte, de fundamento, pero en ese momento nos parecen bastante reales.

Al expresar tus sentimientos y avanzar por las diversas etapas del duelo, comienzas a sentir un cierto alivio. Un buen llanto puede ayudarte a elaborar tu tristeza y tu miedo. Hablar con amigos y vecinos puede ayudarte a ubicarte en la realidad. Recuerda que esos sentimientos son temporarios y que no estás enloqueciendo.

Aceptación

La aceptación es la meta final del proceso del duelo. Cuando llegamos a esa etapa, estamos reconociendo la situación por lo que es. Necesitamos aceptar la pérdida para poder curar nuestras heridas y continuar con nuestras vidas. Sin embargo, eso no significa que necesariamente nos resulte agradable o que hayamos terminado con la pena. Todavía experimentaremos sentimientos de pérdida y dolor, y de tanto en tanto volveremos a caer en la depresión, la culpa y los otros sentimientos. Entramos y salimos del proceso de duelo. No hay reglas fijas o límite de tiempo.

Con la aceptación, uno llega a entender que la vida presenta una cierta cantidad de situaciones que no podemos cambiar o controlar. En ese punto, comenzamos a mirar la vida, la gente y las situaciones implicadas de una nueva forma. Con suerte, habremos ganado conocimiento y sabiduría que nos servirá para el futuro, para beneficiarnos a nosotros y a los demás. Al aceptar nuestra pérdida, comenzamos el proceso de resolución y rehabilitación. Podemos revalorizar nuestra vida y preguntarnos: "¿Qué me enseñó esta situación? ¿Qué oportunidades me brindó para progresar? ¿Cuán diferente soy ahora?".

En esta etapa podemos invertir de nuevo en nosotros y nuestro futuro. Podemos proseguir con la comprensión de que nuestro ser querido ha muerto, o la situación está terminada y, sin disminuir la tristeza o la angustia que sentimos, podemos concentrarnos en vivir la vida. Podemos crear una nueva serie de valores. Podemos decidir vender nuestra casa y mudarnos a un lugar nuevo. Podemos optar por regresar a la universidad o cambiar de ocupación. Podemos alejarnos de amigos y conocidos que sean negativos o que nos anulen en su relación con nosotros. Podemos ofrecernos como voluntarios en el grupo de apoyo para gente que atraviesa un duelo, que nos ayudó en tantos aspectos. Podemos decidir caminar más o pasar más tiempo al aire libre. No importa qué decidamos, descubriremos que hay oportunidades que nacieron de nuestra pérdida y, aunque la vida no puede volver a ser lo que fue, todavía hay cosas que hacer, mientras habitemos este aula llamada tierra.

CÓMO EVALUAR TU PROGRESO

Durante el proceso de duelo, tus reacciones a las situaciones están magnificadas. Por muchos factores —como la comida, el sueño, el trabajo, el estrés, etc.— puedes sentirte fuera de control en un momento y aturdido en el siguiente. Habrá circunstancias en que la ayuda exterior será necesaria. Un amigo, un vecino, un pariente o un grupo de apoyo es extremadamente valioso. Recuerda que no cambiarás de actitud de la noche a la mañana. Por otra parte, es importante crear un sistema de apoyo, que te contenga durante esas épocas en que las cosas parecen muy negras. Mientras más aislado estés, más difícil será el duelo y más lento el proceso de curación. Si una conducta negativa domina tu comportamiento, quizás necesites ayuda profesional. Un duelo enfermizo puede ponerse de manifiesto de muchas maneras: bebiendo en exceso o consumiendo drogas; con problemas crónicos de salud como úlceras y jaquecas; con conductas compulsivas como gastar mucho dinero o comer en exceso; violencia; pesadillas frecuentes, y constantes pensamientos suicidas. Si esos problemas persisten, por favor, busca ayuda en tu médico, terapeuta, pastor, rabino o sacerdote. La mayoría de los hospitales e iglesias te ayudarán a encontrar asistencia en sus servicios de apoyo para estos casos. A veces la situación grupal es sumamente beneficiosa, porque te da la posibilidad de aprender de otros que están pasando por el mismo sufrimiento. También ahora hay una cantidad de lugares en Internet donde se puede conseguir apoyo para situaciones de duelo y, al final del libro, hallarás una lista de diversas organizaciones con las que se pueden contactar a través de la red. Todos necesitamos un poquito de ayuda para volver al camino.

Cuando lean la parte que sigue este libro, descubrirán que los procesos para atravesar el duelo varían con cada situación individual. No importa en qué etapa del proceso estés, confío en que las palabras curativas de mis sesiones, que han resultado una fuente de consuelo y renovación para muchos, te ayuden en tu momento de necesidad. Las palabras del espíritu confirman la continuación de la vida y hablan del amor y de la sabiduría del universo. Hay vidas que han cambiado para siempre a causa de ellas. La confusión y la pena se han convertido en oportunidades para el desarrollo espiritual. Cuando se aprende a no temer a la muerte, la gente aprende a disfrutar de la vida. Algunos, incluso, llegan a considerar la muerte de un ser querido como un regalo del espíritu para poder abandonar la ilusión de tener control sobre los hechos y las circunstancias. Otros han reconocido que el cambio es inevitable, han aprendido a aceptarlo y han creado nuevos intereses en sus vidas.

Cuando podemos tocar la energía de la fuerza de Dios en nuestro interior, somos capaces de ayudar a que los otros se ayuden a ellos mismos. Eso es lo que espero transmitir a través del material que aparece en la siguiente parte del libro. Mientras vives tu duelo, puedes continuar el cambio y el crecimiento en un plano personal. Todo siempre es una elección y la elección siempre es tuya. A través de mi comunicación con el otro lado de la vida, también yo continuamente aprendo del espíritu que es necesario elegir amor y perdón para mí y para todos los demás.

∿

El guión

Leí sobre un hombre que fue a hablar
en el funeral de una amiga.
Se refirió a las fechas de su lápida
desde el comienzo hasta el fin.
Señaló que primero estaba la fecha de su nacimiento
y habló llorando de la otra fecha
pero dijo que lo más importante de todo
era el guión entre esos años.

Porque el guión representaba todo el tiempo
que ella había vivido en la Tierra...
Y ahora sólo los que la amaban
sabían lo que vale esa pequeña línea.

Porque lo que importa no es todo lo que tenemos:
los coches... la casa... el dinero.
Lo importante es cómo vivimos y amamos
y cómo gastamos nuestro guión.

Así que piensa mucho en eso...
¿Hay cosas que te gustaría cambiar?
Porque nunca se sabe cuánto tiempo queda
(puedes estar a "mitad de camino del guión").
Si pudiéramos detenernos lo suficiente como
para considerar lo que es verdadero y real,
y tratar siempre de entender
la forma en que sienten los demás.

Y estar menos dispuestos a la ira.
y demostrar más agradecimiento
y amar a la gente en nuestras vidas
como nunca amamos antes.

Y si nos tratamos unos a otros con respeto,
y sonreímos más a menudo...
Recordando que ese guión especial
podría durar sólo un poquito más.
Entonces, cuando lean tu panegírico
con la repetición de los hechos de tu vida...
¿Estarás orgulloso de las cosas que digan
acerca de cómo utilizaste tu guión?

Linda M. Ellis

PARTE II

Cuando muere alguien a quien amas

3

Una muerte en la familia

Cuando uno de nuestros progenitores muere, también muere una parte de nosotros. Estamos devastados. Al principio, fundamentalmente, sentimos confusión e inseguridad, cuando la manta de seguridad que rotulamos "progenitor" se ha ido y verdaderamente quedamos por nuestra cuenta. La muerte de uno de los padres es un acontecimiento perturbador por muchas causas, pero en especial porque nos recuerda nuestra propia mortalidad como seres físicos.

Según sea la dinámica de la familia —ideal o no—, cuando muere uno de los padres, también hacemos un duelo por nuestro yo perdido, por la pérdida de nuestra infancia. Los progenitores son los primeros seres humanos en contacto con nuestra vida y, como tales, son los primeros que nos enseñan sobre los caminos del mundo. De hecho, son nuestro primer amor. De niños, confiamos en ellos para todas nuestras necesidades y deseos y nos sentimos protegidos con el afecto de sus caricias. Son nuestros escudos de protección contra las influencias negativas de la existencia desconocida que nos rodea. De lejos, son nuestros principales admiradores, animándonos siempre a hacer lo mejor, aun cuando nos sintamos los peores. Nuestros padres son habitualmente los únicos con los que podemos contar cuando la vida es cruel o abrumadora. Por lo tanto, gran parte de nuestro mundo se construye a través de los ojos y mentes de nuestros padres, y por mucho que nos guste negarlo, hay aspectos de ellos profundamente arraigados en nosotros. Nos identificamos con ellos. Es por eso que cuando perdemos a uno de nuestros padres, nos sentimos confundidos e inseguros, como si estuviéramos desnudos en una calle desconocida. Estamos en una encrucijada y no tenemos un indicio para saber a dónde ir. Nuestra protección, nuestro hogar, nuestro santuario se fue y hemos cambiado para siempre.

Cuando uno de los padres todavía está vivo, a menudo desechamos la idea de su muerte como algo en un futuro lejano, sin pensarlo realmente mucho. En nuestro subconsciente creemos que nuestros padres son inmortales, como si se tratara de una especie de dioses. O pensamos que, cuando uno envejece, lo natural es morir, como una forma de reciclar de la naturaleza. Racionalizamos que, cuando suceda, estaremos preparados para ello. ¿Pero alguna vez lo estamos? Como leerán por mi propia experiencia personal, no importa cuáles sean las circunstancias, nunca estamos preparados para enfrentar la muerte de un progenitor.

UN LAZO EN COMÚN

La mayoría de las sesiones que he hecho durante años involucra la muerte de los padres. Los sentimientos, reacciones y etapas del duelo varían en intensidad con cada situación, pero existe una innegable conexión entre aquellos que han perdido a sus padres. En general, hay muchos temas emocionales sin resolver que salen a la superficie. La mayoría implica situaciones que la persona mantuvo ocultas desde la niñez. Por ejemplo, después de la muerte de un progenitor, es muy común que se experimente cierta culpa. Esa culpa puede referirse a uno o a todos los ejemplos siguientes:

"Hubiera podido decirle a papá que lo quería."
"¿Por qué no le dije a mami que lo sentía
mientras estaba viva?"
"¿Por qué no visitaba o llamaba más a menudo
a mamá?"
"Si me hubiera ocupado más, podría haber
hecho algo para prevenir su muerte."

Como vamos a aprender de la segunda sesión de esta parte del libro, algunos vivimos toda la vida a la sombra de nuestros padres. Muchos se quedan con sentimientos de amargura y soledad y a veces con desesperación. Lloran y reclaman: "¿Cómo pudiste dejarme?". Algunos cuidan a un progenitor enfermo durante muchos años y, cuando éste muere, tienen miedo de seguir adelante con su vida. Caen en una depresión y no pueden recomponerse e iniciar algo nuevo.

La culpa es otra emoción muy común que aparece después de la muerte de uno de los padres. Culpamos a cualquiera y a todos, desde el médico hasta un hermano, hasta al progenitor sobreviviente. Nos sentimos impotentes, así que atacamos con violencia y culpamos a algo o alguien por llevarse a nuestro padre o madre. Podemos ser adultos por nuestra edad, pero en nuestro interior nos sentimos como un niño. "Si no hubieras hecho esto o lo otro. ¿Por qué dijiste eso? Deberías... o podrías haber..."

Es también una etapa en la que uno se siente enojado, engañado y resentido. Podemos estar enojados con nosotros mismos, con nuestros padres muertos o con el mundo en general. Podemos recordar una experiencia traumática con uno de nuestros padres, como las de abuso o abandono. "¿Por qué me hiciste eso a mí? Te odio. Me arruinaste la vida." Tenemos que encontrar una forma de desahogar la furia que no implique un riesgo para nosotros y para los demás. Una vez más, lo mejor podría ser buscar ayuda en una asistencia terapeútica a través de un grupo de ayuda o un consejero.

Por otra parte, hay muchos padres que fueron nuestros mejores amigos, confidentes y fuentes de estabilidad, como lo ilustra la tercera sesión. Perderlos es como haber perdido nuestro brazo derecho. Nos sentimos abandonados, tristes, solos y deprimidos. "¿Con quién voy a hablar de mis problemas? ¿Quién me va a escuchar? Nadie podrá darme esa clase especial de amor y cuidado." Cuando se corta un lazo tan fuerte, la persona puede llorar mucho y sentir lástima por sí mismo o puede desear retraerse de la vida. A veces la tristeza es tan profunda y abrumadora que la persona se enferma físicamente.

Como ya dije, la muerte de uno de los padres puede llevarnos a una disyuntiva en nuestra vida. Frente a la encrucijada, quizás nos preguntemos: "¿Qué aprendí de mamá o papá? ¿Quiero vivir mi vida en una forma diferente ahora que él o ella no está? ¿Qué es lo que realmente quiero de la vida?". Tal vez necesites perdonar a un progenitor por la forma en que te trataba. Tal vez sea el momento para que digas "lo siento" a tus padres. Quizá sea una oportunidad para acercarte a otros miembros de la familia y pasar por alto cualquier diferencia que tuvieras con ellos. O puedes tomar conciencia de un aspecto particular tuyo que nunca examinaste mientras tus padres vivían. Tal vez la muerte de tus padres te obligue a ver el mundo en una forma diferente y más beneficiosa.

Aunque la estructura paterna o materna se haya roto y por momentos te sientas devastado, te sobrepondrás. Eso es parte del proceso de vivir el duelo. Podría ser el momento perfecto para que hagas una importante elección que le dé una nueva dirección en tu vida.

La mayoría de nosotros experimentará la muerte de nuestros padres durante la vida y, aunque todos compartimos un lazo en común al sentirnos heridos, tristes o solos mientras sufrimos el duelo, el proceso de curación nunca es el mismo para cada persona. Mi deseo es que todos nosotros, hijos dejados atrás, comprendamos que nuestros padres siempre permanecerán vivos en nuestro interior.

MAMÁ MURIÓ

Mi madre y yo tuvimos una relación muy especial. Yo era el menor de cuatro hijos y siempre le recordaba que al menor de la familia le toca el pedazo más corto del palo. A menudo le decía que, en la época en que yo nací, sólo quedaban sobras, de juguetes, de ropa, e incluso de afecto. Eso no era verdad, pero yo hacía cualquier cosa para conseguir su atención. Durante mi infancia, mi madre fue mi Peñón de Gibraltar. Lo mismo era mi padre, pero de una manera diferente. Siempre estaba trabajando y lo consideraba más bien el proveedor y la columna vertebral de la familia.

Mis primeros recuerdos de Mamá se remontan a la época en que me llevaba al jardín de infantes. Me aferraba a su mano y le decía que no quería dejarla, porque iba a extrañarla durante el día. Le contaba que los otros chicos no eran tan divertidos como ella. Ella reía y me apretaba la mano. De niño era bastante pequeño y los chicos más grandes se burlaban constantemente de mí. Mamá me decía: "Dime quién te fastidia y le daré un cachetazo". Siempre me encantó esa expresión suya. Era una señal de su herencia irlandesa y su ardiente temperamento. Desde muy chico, siempre consideré a mi madre como mi compañera de juegos y mi protectora.

En la actualidad, cuando la gente me conoce en persona en una demostración, en una firma de libros o en algún evento social, se sorprenden de mi sentido del humor. Me dicen

que valoran mucho mi risa. Y yo les contesto que mi sentido
del humor es un don que heredé de mi madre. Ella tenía un
ingenio increíble y unas enormes carcajadas que eran absolutamente contagiosas. Tenía una forma de hacer sonreír a todos,
en especial cuando hablaba con su simulado acento irlandés.
El brillo de sus ojos era tan travieso como el de un duende. Y
me alegra poder decir que yo saqué de ella un poco de ese
encanto de los duendes.

En el verano de 1980, la risa cálida de mamá se detuvo.
Una tarde se sentó en el sofá, incapaz de hablar o de mover los
brazos. Con mis hermanos llamamos de inmediato a nuestro
padre, a su trabajo. Nos dijo que lleváramos a mamá al hospital
y avisamos a los paramédicos y la llevaron a la guardia. Todos
nos quedamos en la sala de espera hasta la mañana siguiente,
mientras los médicos le hacían todos los estudios. Hasta que,
finalmente, nos dieron los resultados. Mamá había tenido una
apoplejía que le había dejado paralizada su parte derecha y su
capacidad verbal totalmente deteriorada. La mujer que podía
iluminar una habitación con su sonrisa, estaba enmudecida
para siempre.

Eso nos golpeó mucho a todos. Los siguientes días nos
dedicamos a consultar médicos y especialistas para obtener
más información. "¿Volverá a hablar?¿Cuáles son sus posibilidades de caminar? ¿Cuánto tiempo le queda de vida?" Nadie
nos pudo dar respuestas o, al menos, las respuestas que queríamos oír. Los días se convirtieron en semanas y la recuperación
de mi madre era apenas leve. Después de dos meses, podía
caminar un poco, movía la mano derecha y parpadeaba. Para
cualquiera que haya sufrido un ataque de apoplejía o conozca
a alguien que lo haya tenido, es muy doloroso contemplar a
una persona que era fuerte y vital, convertida en alguien que
no puede moverse. Yo me sentía impotente, igual que el resto
de la familia. Ninguno estaba seguro de lo que teníamos que

hacer. Una de mis primeras reacciones fue culpar a Dios por la enfermedad. Ella era una católica tan devota, cada mañana caminaba mucho para ir a la iglesia. ¿Por qué Dios había hecho esto a una persona tan devota y afectuosa? Tal vez Dios se había equivocado.

Dos años después del ataque de mi madre, me mudé a Los Angeles para comenzar una carerra. Comencé a trabajar temporariamente para Embassy Televisión. Norman Lear era el jefe de producción y estaban realizando programas como *All in the Family*, *One Day at a Time* y *Sanford and Son*, todos grandes éxitos en televisión. Cuando supe de un trabajo permanente en la oficina de People for the American Way (Gente para la forma de vida norteamericana) en Los Angeles, una organización sin fines de lucro formada por Lear y otros, acepté la oportunidad. En esa época, yo quería entrar en la televisión, como escritor, y pensaba que conseguir ese trabajo era un paso que me acercaba a cumplir mi sueño. Qué equivocado que estaba. No sabía que mi tarea no tenía nada que ver con la producción. Yo era un asistente del representante y mi tarea consistía en abrir la correspondencia, tomar nota de las donaciones y preparar los eventos. Como la mayoría de los asistentes, me pasaba el día haciendo diligencias al correo y al Banco y regresando con el almuerzo de todos. En realidad, el trabajo me gustaba mucho y, cuando miro atrás, hacia esa época, me doy cuenta de que me enseñó una lección invalorable. Al principio, cuando comencé, no tenía ni idea de qué era esa organización. Al empezar a ver la correspondencia diaria, me di cuenta de que la meta de People for the American Way era luchar contra la expansión de la ignorancia y el prejuicio. Al leer las cartas que enviaban a la oficina, me di cuenta de que había un montón de gente llena de odio, que usaba la religión como una herramienta para su causa particular. Millones de cartas que contenían una aterradora propaganda eran enviadas a ciudadanos comunes, condenando el aborto como un crimen, refiriéndose a la homosexualidad como algo demoníaco y exigiendo que se enseñara la Biblia en las escuelas públicas. Para mí eso era fascismo puro y simple presentado como americanismo y aplaudía los esfuerzos de este grupo y mi trabajo me gustaba cada vez más.

Durante mi tiempo en la oficina, a menudo me encontraba pensando en mi familia allá en el Este. Los había dejado hacía un tiempo y tenía una constante lucha interior sobre continuar viviendo en Los Angeles y luchar para llegar a ser un escritor de la televisión o dejar todo y volver a casa a trabajar en Nueva York. Era difícil cuando llegaba un cumpleaños y no estaba allí para celebrarlo con una sobrina o sobrino. Sabía que estaban creciendo y yo no era parte de sus vidas. "¿Reconocerán a tío Jamie cuando se encuentren conmigo?" La única oportunidad en que los veía era para Navidad, cuando hacía mi peregrinación anual para reunirme con todos mis parientes. No pasaba un día sin que me encontrara pensando en mi familia. Era especialmente difícil porque mi madre estaba tan enferma. Hasta ahora, a menudo pienso que tal vez, si hubiera regresado al Este, hubiera podido hacer algo para salvarla.

Fue en una de esas reuniones navideñas con mi familia, dos años después de haberme mudado a California, que vi a mamá por última vez. Para entonces, estaba internada en una de las mejores instituciones de Nueva York. Mi hermano Michael y mi padre tenían que llevarla de regreso después del festejo de Navidad. Tenía que despedirme de ella, ya que regresaba a Los Angeles en el vuelo de esa tarde. La miré a los ojos, ese hermoso mar de cristal azul y me devolvió la mirada, haciendo todo lo posible para decirme algo. Desgraciadamente, comprendí todo demasiado bien y disculpándome, salí de la habitación. Me senté en el corredor y lloré mucho. En ese momento sabía que era la última vez que vería a mi madre con vida. Sentía su pena y sabía que estaba cansada de arrastrar su cuerpo marchito. Debía ser frustrante, para alguien tan demostrativo como ella, verse súbitamente impedida. Sabía que ya no quería seguir con esa vida. Casi no recuerdo el viaje en avión de regreso a Los Angeles. Sin embargo, sí recuerdo que, desde ese momento, pedí a todos, en el mundo espiritual, que la ayudaran a pasar rápidamente y sin dolor. Esperaba, con todo mi corazón, que pudieran escucharme y ayudarme de alguna manera.

Nunca me olvidaré, por el resto de mi vida, de ese día fatal. Era un martes, el 28 de febrero, y me desperté con una extraña sensación de perturbación en el estómago. A las doce y media recibí un llamado telefónico de mi hermana Lynn. Todavía puedo oír su voz temblorosa: "Jamie, mamá murió". Creía que estaba preparado para ese momento. Después de todo, sabía que mi madre estaba preparada para morir. Rezaba constantemente para que, cuando llegara su hora, el mundo espiritual aliviara su dolor. Sin embargo, cuando oí la palabra "murió", mi reacción fue algo que nunca había esperado. Estaba en un estado total de conmoción. Me las arreglé para decir algo a mi supervisor, quien me abrazó en un gesto de consuelo. Salí de la oficina abrumado y todavía no sé cómo llegué a una iglesia católica, a cinco cuadras de allí. Encendí una vela por mamá y recé por su pacífica transición. De algún modo, pude volver a casa y preparar un bolso para viajar a Nueva York.

Durante el funeral, yo estaba visiblemente perturbado. Escuchaba al sacerdote que desde el púlpito hablaba de mi madre y pensaba: "Debe estar hablando de otra. ¿Cómo puede ser que ella se haya ido?". Todo ese día lo registro como en una nebulosa. No puedo recordar cómo fui de un lugar a otro, con quién hablé, ni siquiera qué hice. Me sentía solo entre una muchedumbre. Era muy difícil aceptar que mi madre no estaba en el centro de todo, diciendo chistes y haciéndolos reír y guiñándome un ojo. Ese día todo era borroso. No sólo estaba en un estado de conmoción, sino también de negación.

En esa época, había comenzado a contactarme con el mundo espiritual por mi cuenta. Cuatro meses después de la muerte de mi madre, mi nuevo amigo y maestro, el médium Brian E. Hurst, me preguntó si quería hablar con ella en el otro lado. Pese a que yo sabía que nunca podría tenerla de nuevo en forma física, me sentía muy animado al saber que estaba viva en otra forma, y consolado por el hecho de que mi madre me observara desde el cielo.

La gente me pregunta con frecuencia: "¿Puede conectarse para usted mismo?". No, realmente no puedo. Dejen que les explique. Soy consciente de la presencia de un ser querido en la habitación, pero estoy demasiado ligado emocionalmente con la situación como para saber si es mi propio deseo de oír algo o mis emociones que se interponen al mensaje del espíritu. En otras palabras, es muy difícil saber si estoy creando lo que mi madre dice porque quiero que diga algo en particular o si es ella la que me da su propio mensaje particular.

Llegué a la casa de Brian con mi padre, que me estaba visitando en ese momento. Esperábamos con impaciencia el inicio de la sesión. Me senté esperanzado ante la oportunidad de oír hablar a mi madre a través de la voz de un médium independiente que no sabía nada sobre ella. Brian cerró los ojos, dijo una oración y comenzó.

—Tengo un espíritu aquí —comenzó. Pero no era mi madre. En lugar de ella, era la madre de mi padre. Brian dio a papá una muy buena evidencia sobre la calle en que ella vivía y el subte que tomaba para ir al trabajo. Entonces, súbitamente exclamó: —Jean, oigo una señora que dice que Jean está aquí.

¡Era mamá! Estaba tan excitado que casi no podía respirar. No sabía qué sentir. Una parte de mí no podía creerlo y la otra rebosaba de alegría.

—Ella está aquí con sus hermanas Mary y Betty —dijo Brian.

—Sí, ésas son sus hermanas —respondí. Estaba tan feliz.

Mi madre estaba en la habitación y todos podíamos sentir claramente su presencia. Papá estaba atónito.

—Jamie, te está llamando Jamie —continuó Brian.

—Sí, lo entiendo —dije.

—Tu madre tiene una risa maravillosa y todos conocen esa risa. Hace reír a mucha gente por allí.

Casi no podía creer lo que estaba diciendo. Sí, realmente era la dama que podía hacer una broma con cualquier cosa y lograr que la gente se riera durante horas.

Entonces Brian comenzó a llorar. Me aseguró que estaba bien.

—Tu madre quiere agradecerte por rezar por ella, James. Dice que la ayudó mucho. Quiere que sepas que ahora puede caminar y hablar. Es muy graciosa... ¡Me está diciendo que no puede mantener la boca cerrada!

¡Bingo! Qué aliviado me sentía al saber que estaba completamente bien y que era la misma persona que conocía y amaba.

Entonces Brian se calmó.

—Jean me dice que un sacerdote fue a encontrarla. Era un sacerdote católico que ella conoció de joven. El padre James Reilly.

Mi padre no podía creerlo. Era evidente que esa información lo había turbado.

—Ése es el anciano sacerdote que ella conocía cuando nos encontramos por primera vez —exclamó—. ¡Oh, mi Dios, esto es asombroso!

La sesión continuó y Brian siguió dando detalles precisos sobre la vida de mi madre y la de mi padre. Al final de la sesión, Brian me miró con desconcierto y dijo algo que ha permanecido conmigo hasta ahora.

—James, tu madre quiere que te diga que un día serás muy conocido y ayudarás a mucha gente.

No estaba muy seguro de cómo interpretar ese último comentario. Pensé que quería decir que me iba a convertir en un famoso escritor de televisión, como Norman Lear y que tal vez ayudara a la gente con una organización como la de él. No tenía idea de que ella quería decir que iba a ayudar a los otros como médium.

—Tu madre quiere que sepas que ella es la guía de ustedes.

Me sentí muy aliviado por ese último comentario de Brian.

—Quiere que te diga —continuó— que todavía es tu protectora y siempre lo será.

La única forma de describir lo que sentí es decir que fue como si alguien me acariciara el corazón. No hacía falta decir más. Sabía que tenía a mi mamá para siempre.

Un proceso individual

Nadie está preparado para la muerte de un progenitor. Podemos creer que lo estamos, pero no es así. Lo que pasé cuando mi madre murió es algo muy común. Después de la confusión y la negación, recuerdo que estaba enojado con Dios, porque "Él" lo había hecho. Sin embargo, después de reflexionar un poco, me di cuenta de que la muerte de mi madre era una oportunidad increíble para mí. Pude entender que el final de una vida física, no es el final de la vida. La pena que sentí ante su muerte era un desgaste muy real y muy emotivo, pero fui capaz de recuperar las fuerzas poco a poco, día a día. Con el tiempo, la pena se calmó y comencé a recuperarme.

No hay reglas para el proceso de vivir el duelo, ya que cada uno de nosotros vive la pérdida de una manera distinta. No obstante, existe el dicho: Cuando una puerta se cierra, otra se abre. Si podemos mirar a la muerte de esa manera, como una puerta que se cierra, podemos encontrar consuelo al saber que una nueva puerta se abrirá.

He sido médium durante muchos años y me he acercado al mundo espiritual prácticamente a diario. Cada vez que hago de intermediario para una persona, todavía me sorprendo por la forma en que esa comunicación inicial, o apertura de la puerta al espíritu, cambia la vida de esa persona para siempre. El miedo a la muerte se desvanece y la vida adquiere un significado totalmente nuevo. La mayoría de las personas puede no tener nunca la oportunidad de estar con un médium o ser capaces de oír o ver el mundo espiritual. Pero no es necesario darse cuenta de la propia espiritualidad. Muchos de nosotros podemos usar la oración o la meditación para abrirnos a nuestro lado espiritual. Recuerden que la espiritualidad es nuestro derecho de nacimiento. Es lo que somos ante todo. Por difícil que sea comprenderlo del todo, vivimos en un cuerpo físico, en un mundo físico, como seres espirituales. Cuando nos demos cuenta de la espiritualidad que somos, encontraremos el gran sistema de apoyo que nos rodea.

Vivir el duelo es una gran oportunidad para crecer, para entender y para explorarnos. Las lágrimas limpian las ventanas de nuestras almas. Algunas veces creemos que nuestro corazón está roto, sin arreglo, pero tal vez podamos considerar que está roto para que entre más de nuestra propia luz. La lección de la muerte no es de culpa o enojo sino de amor. La puerta se cierra para que se pueda abrir otra. Podemos usar la pena como una herramienta espiritual para encontrar significado, alegría y fecundidad en nuestras propias vidas.

He incluido varios casos en los que pasa exactamente eso. Estas personas han tomado la situación de la muerte de un ser querido para convertirse en más útiles y vivir mejor a causa de ello. Siempre me lleno de admiración ante el coraje, la fe y la fuerza que la gente tiene en épocas de un profundo dolor. Cuánto más grandes son por haber pasado por los fuegos del corazón humano, solo para surgir de ellos con una mejor comprensión de la vida.

¿El dolor cede alguna vez? Eso lo decide cada individuo. A veces el dolor nos impulsa a crecer, para no esclavizarnos por él. Le pido a cada persona que tome la decisión, como yo lo hice alguna vez, de considerar a la muerte como una apertura a una vida más elevada. Si me hubiera deprimido con la muerte de mi madre, nunca habría llegado a explorar las dimensiones espirituales. No hubiera podido ayudar a tanta gente a curar su propia pena por la muerte de un ser querido. El reino de los cielos es asequible a todos. Como dijo una vez un gran maestro: "Golpea y la puerta se te abrirá".

La mamá de Peggy

La sesión siguiente fue, en su momento, muy perturbadora para mí. La persona estaba llena de enojo, culpa, amargura y aversión por sí misma. Al principio no quería incluirla porque pensé que era negativa, pero la participante me pidió que lo hiciera, ya que era un momento decisivo en su autodesarrollo y curación. Sentía que podía ayudar a otros que sufrieran por circunstancias similares y estuve de acuerdo.

Conocí a Peggy en uno de mis talleres, al que su amiga Natalie la había convencido de que fuera. Estábamos a mitad de camino de las sesiones, cuando levanté la vista hacia el grupo y vi el espíritu de una mujer de cabello blanco, ubicada detrás de una mujer un poco gorda. El espíritu de la mujer parecía un poco desaliñado y colocó las manos en los hombros de la mujer, sacudiendo la cabeza de un lado al otro.

No pude evitar el acercarme a la mujer que estaba sentada y preguntarle:

—¿Puedo trabajar con usted y comunicarle un mensaje de un espíritu?

Me miró con expresión de asombro.

—¿Yo? ¿Quiere hablarme a mí?

Asentí y su amiga la animó para que se pusiera de pie. Tengan en cuenta que yo no sabía nada sobre esa mujer antes de ese día. Con desconfianza se puso de pie con la cabeza baja. El espíritu se había movido a un costado y me miraba con furia. Tuve la sensación de haber hecho algo mal.

—Hay una mujer de pie, a su lado; tiene cerca de un metro setenta. Tiene el cabello blanco tirante hacia atrás y usa anteojos con una cadena alrededor del cuello. Está a su costado derecho, lo que me dice que es su madre o pertenece a la familia de su madre. ¿Entiende lo que estoy diciendo? —pregunté.

Con lentitud, la mujer levantó la cabeza y contestó en un susurro.

—Sí, eso creo.

Le pedí que mantuviera el micrófono más cerca de su boca, mientras yo esperaba recibir pensamientos y visiones del espíritu de aspecto difícil que estaba a su lado.

—¿Conoce el nombre Addie o Adelaide?

—Sí, ésa es mi madre.

—¿Su madre gritaba mucho, no? Ahora mismo está gritando en mi oído. Le estoy enviando pensamientos, diciéndole que puedo oírla y que no grite. ¿Usted es maestra?

—Sí, lo soy —respondió con timidez.

—¿Su madre también era maestra?

—Sí, bueno, pero no de tiempo completo. En realidad ella quería que yo fuera maestra con dedicación exclusiva.

—No quiero parecer grosero, pero su madre es muy brusca conmigo. ¿Está acostumbrada a salirse con la suya, no?

Miré a la mujer y supe que me entendía perfectamente.

Entonces comencé a ver con los ojos de la mente algunas visiones alarmantes. Vi cómo castigaba a Peggy de niña. Entendí todo muy rápido, así que le pedí a Peggy que me viera después, para una sesión privada.

Muchas veces, cuando me hacen un reportaje, me han preguntado: "¿Por qué no aparecen los espíritus que están en el infierno?". Esas preguntas están habitualmente basadas en la interpretación bíblica del infierno como un lugar literalmente de condenación eterna. Encuentro que esa interpretación del infierno se utiliza esencialmente para controlar a la gente por el temor, y ese miedo se ha fijado de una manera inconsciente en nuestras mentes. En mi experiencia como médium, el infierno no existe como un lugar real, sino como un estado de conciencia. Un espíritu que habite ese estado de conciencia está atormentado constantemente con los pensamientos y sentimientos de cómo él o ella maltrató a otros en la Tierra. El grado en que una persona hiere a otra es el grado en el que habita un estado de conciencia infernal. Los espíritus con inclinaciones similares gravitan juntos en las dimensiones espirituales y eso, por sí mismo, puede ser un verdadero infierno.

Se puede decir que la dominante madre de Peggy estaba en un punto donde todavía se aferraba a su esquema mental terrenal. Todavía trataba de controlar a su hija desde el lado espiritual.

A solas con Peggy, continué la sesión.

—Tu madre me está diciendo que no sabes nada, que eres una estúpida —le dije.

Con los ojos llenos de lágrimas, Peggy me miró.

—Siempre me dijo estúpida. Mamá era la inteligente. Decía que yo había salido a la familia de mi padre.

Mi corazón se conmovió por esa pobre mujer que no tenía sentido de su propio valor.

—Tu mamá está hablando sobre un balde. El balde tiene agua. Ahora me muestra que son las tres. ¿Está hablando de una toalla? —No sabía el significado de todo eso, pero al ver el rubor en el rostro de Peggy me di cuenta de que ella entendía.

—Sigue diciendo que no lo haces bien. ¿Dónde está la cena? Está hablando de una comida quemada. Te culpa por haber quemado la cena. ¿Es cierto?

Peggy se mordió los labios, miró al piso y movió la cabeza asintiendo.

—También está hablando de los libros. Está gritando. No puedes hacer nada bien, los libros están desordenados, dice.

Ahora el mentón de Peggy temblaba y las lágrimas rodaban por sus mejillas. Quería decir algo, pero no podía. Esperé unos instantes y cuando comencé otra vez, de repente Peggy dejó escapar un alarido.

—Maldita sea... ¿Cómo pudo? Traté de hacer lo mejor posible, pero nunca era suficiente. ¡Maldita seas, madre!

Peggy levantó la cabeza, mirando al cielo raso y continuó.

—¿Cómo pudiste dejarme? Hice lo que querías. Te llevé al médico. Te lavaba. Limpiaba la casa. ¿Qué es lo que hice mal?

Peggy se indignaba cada vez más con su madre. Era evidente que había ocultado sus sentimientos durante demasiado tiempo. Rara vez me encuentro con una situación tan explosiva en las sesiones, pero sabía que Peggy tenía que dejarlo salir, así que la animé, recordándole que era saludable que expresara sus sentimientos.

Después de varios minutos, cuando parecía agotada, la contuve y le dije:

—Todo saldrá bien. Ya terminó. No tienes que soportarlo más. Ya es hora de decir adiós a todos esos horribles recuerdos de tu madre. Tu eres una persona increíble. No necesitas medirte por la opinión de otra persona.

Me senté con Peggy un rato para hablar de lo que acababa de experimentar. Me dijo que todas las cosas que yo había nombrado le recordaban la terrible vida que había vivido con su madre.

—Yo era la hija perfecta. Hacía todo lo que mi madre me indicaba. Mi padre nos dejó cuando yo tenía siete años y siempre creí que era por mi culpa. Después de eso, siempre me ocupé de hacer todo lo que mamá deseaba. No le gustaba salir de la casa, pero a veces debía trabajar. Siempre me estaba diciendo lo mucho que había trabajado y yo me sentía culpable de que tuviera que hacerlo por mí. Tenía que bañarla todos los días a las tres de la tarde y si me pasaba un minuto, comenzaba a gritar. También me hacía preparar la cena, porque siempre estaba acostada. Y luego decía que quemaba la cena a propósito. Recuerdo que deseaba tomar clases de zapateo, pero mamá se negó. Tenía miedo de que me torciera el tobillo y después no pudiera hacer las tareas de la casa.

Peggy nunca se casó.

—Mamá siempre me dijo que no había que confiar en los hombres. Nunca se recuperó de que mi padre la dejara.

La madre de Peggy había muerto el año anterior de un ataque al corazón y Peggy no se había permitido sentir y vivir el duelo. Se había convertido en un robot, haciendo todo lo que su madre había programado. Había retenido toda la furia, el dolor y el resentimiento en lo más profundo de su interior.

En un momento, Peggy preguntó a su madre:

—¿Por qué no me querías?

Y la respuesta de su madre fue:

—¡Porque tu padre te quería más que a mí!

Invité a Natalie, la amiga de Peggy, para que entrara en la habitación y los tres juntos discutimos el futuro de Peggy y cuáles podían ser sus opciones. Convencí a Peggy de que continuara conversando con su madre, escribiéndole cartas o registrando sus pensamientos y emociones en un diario. Pasa un tiempo antes de que todas las sensaciones y opiniones se liberen, en especial si los malos recuerdos hacen brotar algunos sentimientos dolorosos.

Cuando nos identificamos con tanta fuerza con un progenitor, como lo hizo Peggy, uno tiene muy poco sentido de uno
mismo. Nos convertimos en personas programadas para com-
placer a los demás y pensar en último término en nosotros.
Eso conduce a una falta de valoración y respeto por uno
mismo. La situación de Peggy muestra lo profundamente ligados
que podemos estar con nuestros padres, aunque no hayan sido
las personas más buenas y afectuosas. Después de todo, nos
hemos acostumbrado a esa conducta y, como todos sabemos,
la costumbre es cómoda. La dinámica familiar puede ser desde
cálida y protectora hasta cruel y fría y todo lo demás entremedio.
Nuestros padres nos enseñan lo que les enseñaron y, si es negativo, ese ciclo continúa de una generación a la otra, hasta
que alguien reconoce el espiral descendente y realiza cambios
para romper el esquema. Algunas veces las circunstancias se
vuelven tan difíciles que nos vemos forzados a romper el círculo de impulsos negativos y condicionamiento cuando es más
difícil y eso puede ser ante la muerte de uno de los padres.

Los esquemas enfermizos deben reconocerse para que
podamos cambiar nuestras vidas. El deseo de cambio conduce
a pensamientos y sentimientos mezclados, porque ya no sabemos cómo comportarnos. Si nuestra niñez estuvo llena de
abusos, como la de Peggy, podemos sentir mucha soledad,
abandono, odio y resentimiento, que llega a manifestarse de
una forma física, mental y emocional. Sin embargo, es a través
de la pena que podemos encontrar una nueva comprensión de
nosotros mismos, como individuos únicos, con nuestros propios valores y lo que nos gusta y no nos gusta. Como Peggy
tuvo que aprender, la mayoría de nosotros tiene que volver a
pensarse y reinventarse. Descubrí que el proceso de duelo es
más duro para las personas que deciden hacer cambios positivos. Tienen que crear una imagen diferente de sí mismos.
Realmente tienen que empezar de nuevo y aprender cómo

actuar y reaccionar en formas que no son familiares para ellos.

A los cincuenta y dos años, Peggy tenía tanto dolor acumulado en su interior, que sabía que iba a necesitar ayuda posterior y le aconsejé que viera a un terapeuta que consideraba adecuado para ella. La sesión de Peggy fue muy difícil para mí, pero fue decididamente necesaria.

Acompañé a las dos amigas hasta la puerta del auditorium y las abracé a ambas. Peggy me dijo que había rezado a Dios para que la ayudara.

—Creo que mis oraciones empezaron a ser respondidas —me dijo, mientras se marchaba.

Vivir el duelo por la muerte de los padres o de otra persona querida debe hacerse en nuestro propio tiempo, no en el tiempo determinado por los demás. Uno de los primeros pasos que debemos dar para hacernos cargo de nuestras vidas es decir adiós a nuestros progenitores. Nunca lo enfatizaré demasiado. Cuando nos tomamos esos pocos momentos para decir adiós, es importante que lo hagamos con perdón y amor, no con resentimiento y enojo. Debemos considerar la situación con honestidad y reconocerla por lo que es. Si hay enojo, primero debemos dejarlo salir. Entonces daremos lugar al perdón. El perdón es el primer paso en el camino de la curación.

Puesta al día

Mi sesión con Peggy ocurrió hace unos siete años y me siento muy feliz de informar que, desde ese día, Peggy comenzó a trabajar con un terapeuta. Como parte de su proceso de duelo, se inició en el estudio de meditación y terapia de masajes. Más adelante, Peggy vendió la casa de su madre y se mudó a Las Vegas con su marido, con quien se casó hace dos años. En la actualidad es maestra suplente, agente inmobiliaria y maestra de Reiki. Oh, sí, también guarda un par de noches libres para sus clases de zapateo.

MI MEJOR AMIGO

No importa lo esclarecido que uno sea o toda la experiencia que tenga con la muerte, cuando muere uno de los padres, el sentimiento de pérdida realmente nunca se va. Hay constantes recordatorios como canciones, cumpleaños, comidas favoritas y lugares especiales con los que el recuerdo de uno de los padres está grabado de forma indeleble en nuestro corazón. Nos han dicho tan a menudo que hay que superar la muerte de un ser querido, que nos preguntamos si algo anda mal con nosotros si pensamos mucho en esa persona. Está bien que pensemos en los padres y valoremos los recuerdos de los momentos que pasamos juntos. Cuando surgen esos pensamientos, podemos usarlos para celebrar la vida de nuestros padres: la forma en que nuestra madre cantaba una canción en especial, o cómo disfrutaba nuestro padre de cierta comida, o cómo nos reíamos juntos de alguna situación.

Esta siguiente lectura me recuerda cuánto podemos echar de menos a un padre. Wendy y su padre tenían una relación muy estrecha y afectuosa. Como me dijo Wendy en una oportunidad: "Era verdaderamente mi mejor amigo. Trabajábamos juntos, viajábamos juntos, y disfrutábamos de la vida". Pero cuando su padre murió, la vida de Wendy se detuvo de pronto. Se terminaron las risas y la alegría.

Ante la insistencia de una amiga, Wendy llamó a mi oficina para pedir una cita. Me dijo: "La vida no tiene significado. Me siento totalmente sola y perdida". Wendy era muy escéptica con respecto a nuestra entrevista, pero estaba suficientemente desesperada como para tratar de averiguar si su padre todavía estaba cerca de ella, y si estaba bien. En sus propias palabras: "Recuerdo que llamé a su puerta, pensando que me sentía una tonta. Pensé '¿Qué estoy haciendo aquí? No hay ninguna posibilidad de que este tipo pueda comunicarme realmente con la muerte'".

Cuando Wendy llegó, comenzó a sacar de su bolso fotos y recuerdos de su padre para mostrármelos. De inmediato le hice un gesto para que se detuviera.

—No me muestre ni me diga nada. Déjeme que yo le diga.

Después de una breve oración, comencé la sesión.

—Hay un hombre aquí que le da mucho amor. Está de pie a su izquierda, así que creo que es su padre. Está muy feliz porque usted esté aquí. Dice que está muy bien. Nunca creyó que la vida existiera de esa forma.

Wendy pareció aliviada con esa parte de la información.

—Me está mostrando un patio. Lo veo sentado afuera, en el patio, con dos perros a su lado.

Wendy intervino.

—Sí, es así. Nos sentábamos en el patio cada mañana, para tomar nuestro café.

Podía darme cuenta de que Wendy comenzaba a creer que, en realidad, se comunicaba con su papá.

—Su padre me muestra un estante o una biblioteca en la pared. Me está diciendo que le gusta mucho. Que queda perfecto en la habitación.

—La semana pasada la instalé en mi habitación —exclamó Wendy.

—Ahora me está mostrando una mujer. Tiene un parche oscuro alrededor. Creo que esta mujer tiene alguna clase de tumor. Creo que se refiere a su madre.

Wendy asintió.

—Sí, es así. Acaban de diagnosticarle un cáncer a mi madre.

—Su padre quiere que le asegure que ella estará bien. Dice que no se preocupe por ella. Está diciendo: "Ella es una luchadora y vencerá al cáncer". Hay alguien más con su padre. Está cantando una canción —comencé a tararear la melodía que estaba oyendo.

Wendy se echó hacia atrás, con los ojos muy abiertos de sorpresa.

—¿Conoce a alguien llamado Peter? Está con su padre y le está cantando.

Seguí tarareando una canción sobre Río y pregunté:

—¿Ese Peter está asociado con Río de Janeiro?

Wendy prácticamente saltó de la silla.

—¡Sí, lo está! Es Peter Allen, el compositor. Tenía un gran éxito llamado *Cuando mi nena se va a Río*. Mi padre y él eran grandes amigos.

—Peter está diciendo que él fue el primero en recibir a su padre aquí y andan juntos como solían hacerlo.

—¡Estoy muy feliz de oír eso! —exclamó Wendy.

Continué con los mensajes del padre de Wendy, diciéndole cosas muy importantes sobre la relación de ellos.

—Su padre tiene mucho amor por usted. Dice que la quiere mucho y que siempre estará con usted. Nunca estará sola.

Para entonces, Wendy tenía los ojos llenos de lágrimas.

Terminé la lectura agradeciendo, como siempre, al mundo espiritual por la ayuda y la guía para poder comunicar los mensajes.

Esa sesión ayudó a Wendy a entender que la muerte no era el fin de su relación con su padre y mejor amigo. Se marchó de la oficina sintiéndose renovada y elevada. La niñita perdida había tenido su segunda oportunidad en la vida.

Puesta al día

Mi sesión con Wendy fue hace cinco años. Me siento muy feliz de informar que ella comenzó a ocuparse de su vida. Inició su propio negocio y está floreciente. Me contó que viaja por todo el mundo. También me avisó que su madre efectivamente sobrevivió al cáncer y está en plena recuperación.

Durante nuestra conversación telefónica, me dijo: "James, cambiaste mi vida para siempre. No sólo tengo los más tiernos recuerdos de mi padre, sino que tengo el maravilloso conocimiento que él me transmitió. Me inspiró para vivir la vida a pleno y más allá de mis esperanzas, para alcanzar mis sueños y disfrutar siempre. Y lo más importante, me enseñó el valor de la familia y los amigos. Aprendí de su ejemplo a estar disponible para los que me necesiten y dar felicidad a los que tengo cerca. Recibí su consejo. La lección de amor que me dejó, me ha dado felicidad".

Wendy utilizó la muerte de su padre como una oportunidad para ver la vida desde una nueva perspectiva. Como ella dijo: "Ahora me doy cuenta de que en realidad nunca perdí a mi papá. Simplemente tenemos una clase diferente de relación. Siento la presencia de mi padre en mi corazón y en mi alma. Ahora está siempre conmigo. Te estoy muy agradecida porque me guiaste por el sendero de vuelta a la vida. Ahora sé que hay un cielo y que papá está allí y que algún día estaremos juntos otra vez".

Adiós, abuela

Los abuelos son una clase especial. La mayoría de ellos son admiradores convencidos y entusiastas de sus nietos. Ellos no ven nuestras faltas y defectos como lo hacen nuestros padres. En lugar de eso, los abuelos parecen perfeccionarse en el maravilloso talento de mirar de otra manera y vernos como seres puros y luminosos. A menudo los abuelos son calificados como los que consienten a los chicos, porque nos adoran y nos llenan de amor y atención, lo que generalmente se materializa en comidas favoritas y regalos. Creemos que los abuelos se conducen de esa forma, porque al fin del día pueden besar a sus nietos y decirles adiós cuando se marchan. Es verdad. Los abuelos no están en su totalidad dedicados a criar a un niño, como los padres. Tienen mucho más lugar para la tolerancia. Yo creo, también, que con la sabiduría de sus años, los abuelos han aprendido que el amor es la única cosa importante.

Muchas personas nunca han tenido la oportunidad de experimentar el cálido amor y la bondad de esos parientes. Sus abuelos ya han pasado al otro mundo. Todo lo que esa persona sabe es lo que sus padres o tíos repiten en cuentos del pasado. La única historia que se conoce a través de fotos amarillentas de un álbum. No hay recuerdos de los juegos con un abuelo o la calidez del abrazo de la abuela.

Los que fuimos y todavía somos lo bastante afortunados como para tener a nuestros abuelos siempre los guardaremos en un lugar muy especial en nuestros corazones. Siempre serán nuestros defensores. He trabajado con muchas personas cuyos abuelos fueron sus padres sustitutos. En esos casos, cuando los abuelos realmente crían a un niño, la atención y el amor que éste recibe parece duplicarse. Esos abuelos sienten que deben compensar a los padres ausentes. Quieren estar absolutamente seguros de que el niño se siente amado. Por lo tanto, cuando ocurre la muerte de un abuelo o abuela, puede ser una experiencia sumamente difícil.

Cuando yo nací, tres de mis abuelos ya habían muerto sin que los hubiera conocido. Mi única abuela sobreviviente, Ethel Burrows Van Praagh, era la madre de mi padre. Mi primer recuerdo de ella es de cuando vivía en un departamento de un dormitorio, en la calle 74, en Jackson Heights, Nueva York. Mi padre solía dejarme en casa de ella de vez en cuando, para pasar el fin de semana. Y nos convertimos en grandes amigos.

Al final de su calle había una estación importante del sub-terráneo, del número 7 IRT. Debía tener unos cinco o seis años, cuando abuelita me tomó de la mano y me llevó hasta la plataforma, para ver a los vagones que entraban y salían de la estación. Recuerdo mi entusiasmo y cómo gritaba con el silbido del tren, cuando pasaba a toda velocidad por los rieles.

Como el departamento de mi abuela estaba ubicado en una calle principal, siempre había bullicio y alboroto causados por la gente que entraba y salía de los negocios y se apresuraba a tomar el subte. La mejor parte del día era la tarde. Abuelita había venido de Inglaterra y había conservado la costumbre del té de la tarde. Así que a las cuatro, todo se detenía, salvo el sil-bido de su tetera. Esos eran días especiales para mí. Observaba a mi abuela tomando su té, mientras yo saboreaba mi chocolate caliente. Una vez que terminábamos, Abuelita se ubicaba en su sillón de madera, cerca de la ventana del living. Yo me sentaba en su falda y juntos mirábamos al mundo que pasaba bajo nuestra ventana. Incluso saludábamos a los peatones e inventábamos historias, sobre adónde iban o de dónde venían. Algunas veces la gente nos veía mirándolos y se volvían para hablar con nosotros. Era muy divertido. Fue en esa silla frente a la ventana donde se formó mi primera perspectiva de la vida.

A abuelita le gustaba contarme historias sobre la vida en la campiña en Inglaterra. Le encantaba viajar y conocer gente. A menudo decía: "Viajar es la mejor educación que puedas te-ner". Yo solía escucharla, soñando con esos lugares lejanos que ella describía tan vívidamente. También recuerdo que fue mi abuela quien me enseñó a ayudar a la gente. Tal vez éste sea un ejemplo muy simple, pero es el que persiste en mi mente. Mi abuela guardaba una taza llena de monedas en su aparador. Cuando le pregunté el motivo, me contestó: "Son para esas ve-ces que miro por la ventana y veo a la gente que estaciona y no tienen monedas para los parquímetros. Entonces se las doy".

Uno de los recuerdos más tiernos que guardo de mi abuela es el de la noche en que mi padre me dejó en su departamento, antes de regresar a Manhattan. Abrí la puerta y, justo al lado de su silla de madera, vi una más pequeña para mí. Me dijo. "Necesitabas tu propia silla. Ahora, cuando miremos por la ventana, tendrás una mejor vista". Pasábamos horas y horas en esas sillas. Ella creaba historias y yo descubría el mundo a través de sus ojos. Todavía conservo esa pequeña silla de madera, ubicada al lado de una ventana de mi casa.

Tenía catorce años cuando murió mi abuela. Con su muerte, mi niñez se fue para siempre. Nunca olvidaré esa triste mañana de domingo, cuando mi madre entró en mi habitación y dijo: "Abuelita murió durante la noche". Al principio no lo podía creer. Estaba conmocionado. Pasé el resto del día ensimismado, sin hablar con nadie, porque pensaba que ninguno entendería el vínculo que compartíamos con mi abuela. Estaba tan perturbado y me sentía tan solo, que no sabía qué hacer. Entonces, decidí escribirle una carta.

El día del funeral fui con mi padre al cementerio y permanecí ante la tumba de mi abuela. Entre lágrimas, le leí la carta que le había escrito. Recuerdo que sentí que ése era mi beso y abrazo de despedida.

Querida Abuelita:

No puedo creer que ya no estés más para sostenerme la mano y limpiarme la cara, para compartir la torta de manzana, los caramelos y los sándwiches de jalea. Gracias por sacar los bordes. Siempre voy a recordar cuando íbamos juntos al parque y tú me empujabas en las hamacas. Siempre eras la que mejor me empujaba, porque sabías hasta dónde quería llegar. Siempre hiciste todo en la medida adecuada. Voy a tratar de ser un chico grande y no llorar. Sé que no querrías que llorara, sino que fuera valiente. A la noche, cuando me vaya a dormir, pensaré en nuestra época frente a tu ventana y en todas las historias que me contaste sobre la vida en Inglaterra. Me voy a imaginar que hacemos volar cometas y observamos los trenes en la estación. Espero que seas feliz en donde estás. Algún día, seremos felices juntos en el cielo.

Te amo, Jamie

Recuerdo que, cuando leí mi carta ese día, sentí una brisa fría a mi derecha y, de inmediato, levanté la vista para mirar a mi padre y le dije: "Abuelita está bien. Está cerca". Fue mi abuela quien me dio mi primera experiencia de que el amor nunca muere y tampoco nosotros. Desde ese día, pienso en los momentos que compartíamos junto a la ventana y todavía echo de menos a mi abuela.

Hermanos

Si tienes la suerte de compartir la vida con un hermano o hermana, sabes que las oportunidades y desafíos de tener hermanos nos dan una perspectiva diferente de la vida. No solamente nos ayudan a reconocer nuestras cualidades negativas y positivas, sino que nos hacen acordar de nuestro papel en la dinámica familiar. Pese a que somos parte de la misma familia, nuestros hermanos y hermanas son individuos únicos, con sus propios sistemas de creencias y lecciones para aprender. Podemos ser los mejores amigos o los peores enemigos. En los momentos en que la vida nos arroja una pelota defectuosa, no hay nadie mejor que un hermano o una hermana para entender nuestro problema y comprender lo que estamos pasando. Son los únicos que nos darán un consejo adecuado. Porque nuestros hermanos tienen más influencia sobre nosotros que la mayoría de la gente, podemos esperar más de ellos. Demasiadas veces nuestras expectativas exceden la realidad.

Cuando muere un hermano o hermana, puede ser como la muerte de nuestro mejor amigo. Según nuestra relación, podemos sentir que los momentos de diversión y cercanía que alguna vez compartimos con esa persona, que tanto nos entendía, terminó demasiado pronto. Pensar en existir sin nuestro hermano o hermana, no sólo es perturbador, sino también atemorizante. Porque aunque no estuviéramos cerca en el nivel físico, en otro nivel, sentimos como si una parte nuestra muriera con ellos.

Desde un punto de vista espiritual, los miembros de tu familia están contigo en esta vida, por varias razones. Ante todo, tú perteneces a un "grupo de alma" y los miembros de tu familia son almas con las cuales has experimentado muchas vidas. Todos han participado, probablemente, en diferentes posiciones familiares a través de diferentes existencias. Has compartido muchas lecciones de naturaleza espiritual. Por ejemplo, tu hermana o tu hermano puede ser el catalizador para que aprendas una lección en armonía. Todos los miembros de tu familia tienen su propio crecimiento y lecciones espirituales para experimentar. El círculo familiar es la mejor elección para esas oportunidades. Este tipo de arreglo se decide habitualmente en el reino espiritual, entre las vidas. Es allí que evaluamos nuestro crecimiento espiritual y determinamos qué es lo que todavía necesitamos aprender. En unión con esas almas conocidas como nuestra familia seremos capaces de tener las oportunidades necesarias con las que podremos vencer nuestros miedos, superar nuestros prejuicios y equilibrar nuestro ego.

En segundo lugar, puedes haber compartido encarnaciones anteriores con los miembros de tu familia y debes deshacerte del karma de otra vida, en el curso de esta vida. Imagina el karma como una especie de deuda que debe ser pagada. El karma no siempre tiene que ser negativo. También puede ser un buen karma. Entonces, volvemos en una posición particular en la unidad familiar para poder ser capaces de experimentar o pasar por nuestra deuda kármica con el otro miembro de la familia. Lo he descripto a menudo como un regreso a la tierra para tomar clase juntos. La muerte de un hermano puede ser dolorosa, si el hermano se va sin la oportunidad que ambos necesitaban para una lección espiritual. En un nivel inconsciente quizá sientas que has perdido esa oportunidad y eso te deja desolado. Una vez más, debes entender que volverán a estar juntos otra vez para experimentar cualquier oportunidad perdida, así como también nuevas posibilidades para el crecimiento.

Aunque ya no están contigo en el reino físico, los hermanos y los otros miembros de la familia, seguirán teniendo un enorme interés en tu continuo crecimiento espiritual. A menudo se convertirán en tus guías, ayudándote lo mejor que puedan en esta aula terrenal. ¿Y por qué no iban a hacerlo? Las familias están especialmente ligadas en espíritu. El amor y la comprensión entre ustedes han travesado eones de tiempo y una variedad de experiencias. Eso, si lo piensan, es bastante admirable.

Pautas para la curación

- Debes permitirte atravesar todo el proceso del duelo.
- Habla con tus hermanos sobre la pérdida de tus padres. Cada uno reaccionará a su manera. Nadie vive el duelo del mismo modo, así que no proyectes tus expectativas en otros miembros de la familia. Sobre todo, no se culpen unos a otros, ni proyecten culpa en otro, por

algo que una persona hizo o no hizo. Es el momento de curar heridas entre los miembros de la familia, no de crear nuevas heridas. Unánse todos juntos.

- Repasa tu relación con el difunto. ¿Qué aprendiste de él? ¿Qué diferencia marcó en tu vida? ¿Estás orgulloso de algo que tus padres, abuelos, hermanos o parientes te hayan dado? Escribe una lista de todos los atributos positivos de tu ser querido.

- Si quedó algún asunto sin terminar con un miembro de la familia, escribe una carta y describe cómo te sientes. Incluso puedes decirlo en voz alta. Una vez que hayas liberado tus sentimientos negativos, habrá un lugar en tu corazón para que el amor entre y crezca.

- Si vivías con tu padre o madre hasta el final, la pérdida puede ser en especial difícil. Debes darte cuenta de que tú tienes tu identidad. Tú no eres tu padre o tu madre. Tienes que hacerte cargo de tu propia vida y de la forma en que la quieres vivir. Ya no tienes que hacerlo como querían tus padres.

- Perdona a tus padres por cualquier falta. Tus padres trataron de hacer lo mejor posible con la información y experiencia que tenían. Los padres se comportan de la forma en que están acostumbrados. Si no son capaces de expresar amor y afecto, perdónalos. Al perdonarlos, podrás comenzar a expresarte emocionalmente en una forma que nunca hiciste antes.

- Si tu otro progenitor todavía vive, no lo abandones. Si es necesario, explícale que la muerte de su cónyuge no es su culpa. Ayuda a tu padre o madre a expresar sus sentimientos, charlando juntos. Ayuda a revisar las pertenencias personales del muerto. Es bueno compartir recuerdos, porque eso ayuda en el proceso de la curación.

- Debes comprender que no morirás a la misma edad que

tus padres y que no tendrás los mismos problemas en el final de la vida. Tú eres una persona con tu propio y único sendero espiritual.

§ Date cuenta de que no es el fin del mundo y que esa muerte es un proceso natural. Cuando todo lo demás falle, toma aire y déjalo salir un par de veces. Eso te ayudará a centrarte.

§ Agradece a tus padres por haberte dado la vida. Agradece a tu hermano o hermana por compartir la vida contigo. Puedes desear hacer una donación a una obra de caridad, en memoria de tus padres, o recordar esa vida plantando un árbol, o escribir un poema, o pintar algo, o a través de otra forma de expresión artística.

4

Compañeros en la vida

Regresar al hogar a una casa vacía puede ser una de las cosas más difíciles de manejar para el cónyuge que debe vivir el duelo. Cuando muere tu pareja, sientes que todo tu mundo se derrumba en pedazos. Surge un aturdimiento inicial, como si estuvieras viviendo en un país extranjero y nadie hablara tu idioma. Te sientes fuera de control o como si vivieras una pesadilla de la que no puedes despertar. Andas sin rumbo y como sonámbulo, pero esa pena insoportable te vuelve a la realidad. La persona que amabas se fue y te sientes incompleto y vulnerable. No hay nadie que te motive para levantarte por la mañana, o que te convenza de que te acuestes a dormir por la noche. De hecho, no puedes enfrentar la idea de irte solo a la cama. Eso es parte del proceso normal del duelo.

Perder a tu pareja es, de alguna forma, perder una parte de ti mismo. Confiaron uno en el otro, compartieron la intimidad y se apoyaron en las buenas y en las malas. Ahora, cuando más necesitas a tu pareja, estás solo. Todo lo que construyeron juntos parece vacío y sin sentido. Te preguntas para qué es todo eso si no hay nadie con quien compartirlo. No importa si estuvieron juntos muchos meses o muchos años, te han quitado una parte valiosa de tu vida. Parece casi imposible integrarte al mundo sin la persona que amas.

Eso resultó bien evidente para mí al morir mi madre. Ella y mi padre disfrutaron de su amor durante cuarenta años. Al repasar la relación de ellos, recuerdo que con mis hermanos bromeábamos, diciendo que eran como Archie y Edith, del programa de televisión *All in the Family*. La forma de comunicarse entre ellos era bromeando y tomándose el pelo. Mi padre nunca demostraba mucho afecto por mi madre, pero el amor estaba presente en esas bromas. Igual que los Bunkers, habían caído en una confortable rutina. ¿Eran la pareja ideal? No, estoy seguro de que no era así. Es probable que muchas veces, durante su relación, pensaran en seguir cada uno su camino. Pero eso nunca se planteó como una verdadera opción. La gente de esa época no se divorciaba tan fácilmente como ahora. Cuando uno se casaba, se casaba —para bien o para mal— por el resto de su vida.

El día en que mi madre murió, mi padre no era el hombre que conocí toda mi vida. Tenía el aspecto de alguien consumido. Estaba totalmente fuera de control, visiblemente inquieto y muy distinto a su habitual forma de ser: una persona tranquila y despreocupada. Nadie en mi familia había visto a mi papá tan conmocionado como lo estaba ese día.

No creo que mi padre haya podido superar en realidad la muerte de mi mamá. Todavía la echa de menos terriblemente. Habla durante horas sobre lo que solían hacer cuando empezaron a salir juntos. Recuerda siempre los buenos tiempos pasados: las melodias que él y mamá solían bailar, los lugares que visitaban y los amigos con los que se veían. La llama todo el tiempo y pasa buena parte del día contemplando su foto. Creo que está esperando que ella, de alguna manera, le hable. Si mi padre nunca expresó abiertamente su amor por mi madre mientras ella vivía, por cierto que ahora lo ha compensado, desde que ella murió. Todavía estoy sorprendido por la cantidad de amor imperecedero que guarda para ella. Creo que solo será verdaderamente feliz cuando esté de nuevo con ella en espíritu. Entonces, creo que la parte de él que murió en 1985, renacerá y esa vieja sonrisa encantadora de mi padre regresará otra vez.

Cómo encontrar apoyo emocional

En muchas culturas y tradiciones alrededor del mundo, hay beneficiosas salidas para tratar la pérdida de una pareja. Las sociedades reconocen la necesidad de un apoyo emocional para el esposo sobreviviente, con rituales y costumbres que duran semanas, incluso meses, después del fallecimiento. Sin embargo, en nuestro país, perder un cónyuge se ha convertido casi en un asunto rutinario. Un viudo o una viuda debe comenzar de inmediato a llenar formularios, como si estuviera cambiando acciones en la Bolsa. No hay realmente un intervalo para que el cónyuge pueda vivir su duelo. La persona tiene que poner en orden los asuntos con el Banco, con el hospital, con los médicos, con la morgue y la oficina del Seguro Social. Todo deberá volver a la normalidad a los pocos días de la muerte. De esa forma, difícilmente se ayudará a la persona a manejar su pena.

Dada la confusión que se debe enfrentar en esos momentos, la pareja sobreviviente necesita encontrar a alguien que pueda ser su columna de fortaleza emocional. Puede ser un mejor amigo, un miembro de la familia o incluso alguien de un grupo de apoyo para superar el duelo. Creo que éste es el primer paso que debe dar la persona sobreviviente; es de vital importancia tener un sistema de apoyo que ayude a soportar el peso del dolor. La persona de apoyo está allí para ayudarte, para que no tengas que pasar por todo eso solo, es alguien con quien puedes hablar del muerto y discutir los arreglos para el funeral y recibir ayuda para hacer todos los trámites.

Otra parte esencial del hecho de tener una persona de apoyo es que sirve para equilibrar el proceso individual del duelo.

Los efectos secundarios de la muerte pueden alterar con dramatismo el estilo de vida y la rutina diaria de una persona. Las ocupaciones y las simples tareas diarias, tales como utilizar la máquina de lavar o el lavaplatos, hacer las compras y preparar la comida, conducir el coche y pagar las cuentas, son por lo general abrumadoras para el cónyuge que queda vivo, en especial si dependía en su totalidad del otro. Los actos que antes eran habituales —como comer o irse a dormir— provocan en la mayoría una tristeza y una agonía indescriptibles. Miedo, soledad, sensación de estar enfermo, insomnio, preocupación y agotamiento han ocupado el sitio del compañero familiar. Algunos esposos dolientes caen en una picada emocional y pueden salir a la superficie todo tipo de reacciones. Es importante que alguien esté alerta ante ciertas señales peligrosas, como los pensamientos suicidas. Otros sentimientos de desesperación y aislamiento también necesitan atención terapéutica.

Con frecuencia, conozco viudos o viudas a los que les resulta difícil pedir ayuda. Lo consideran como una forma de debilidad y algunos tan sólo no lo hacen. Esto es especialmente cierto cuando la gente tiene muchos años y están fijados en sus hábitos. Para ellos, pedir ayuda es como admitir dependencia o abandonar el control. Pero buscar apoyo en alguien puede ser sorprendentemente beneficioso. Enfrentar la pérdida de un cónyuge o compañero es bastante esfuerzo emocional para soportar. Sumarle las presiones de cada día es sólo aumentar el sufrimiento. Sé que puede ser dificultoso dejar que alguien nuevo entre en tu vida, cuando la persona que amabas se ha ido. Después de todo, ¿cómo puedes explicar a otro el lazo que compartías con tu pareja? Pero por favor, no tengas miedo de pedir ayuda. Hay gente que está esperando para ayudarte.

DESARROLLO DEL ALMA

Las experiencias de vida son amplias y variadas, y hacemos lo mejor que podemos para comprender y explorar las curvas y las vueltas en nuestra travesía por ella. Por cada momento áspero, siempre hay una experiencia dulce y fácil que nos está esperando en el otro lado. Ésa es la naturaleza de la vida. Pese a todo, siempre esperamos un mañana mejor. He descubierto que en el centro del caos, hay un orden para la vida. Cuando interferimos con ese orden, al estar pendientes de nuestros temores y sentimientos de limitación, parece como si nuestras vidas no resultaran como nos gustaría. Cuando uno tiene que enfrentar un desafío como la muerte de un cónyuge, difícilmente puede ver nada bueno que provenga de eso. En lugar de eso, nos sentimos alejados de cualquier clase de felicidad que aparezca en nuestro camino. Sin embargo, una oportunidad especial de enorme crecimiento aparece ante nuestra puerta. Aquello que percibimos como destructivo y deprimente puede convertirse en un momento crucial fundamental. No importa lo que podamos creer, sin duda esto no tiene por qué ser el fin.

Un tema común en mis sesiones es que nosotros regresamos a esta tierra para aprender lecciones, para el desarrollo de nuestra alma individual y una de las lecciones más corrientes es la del amor. Hay muchas formas de amor. Compartir la vida con alguien es una forma de entender y desarrollar un aspecto del amor. Una relación brinda las lecciones necesarias para cada individuo, que están habitualmente basadas en vínculos kármicos de vidas anteriores. Esas lecciones nos ayudan a avanzar en lo individual y como parte de un grupo en un sendero del alma.

Algunas veces, no somos capaces de completar nuestras lecciones en esta vida por diversas razones. En la primera sesión, una esposa era incapaz de manejar su vida y confiar en su capacidad. Era químicamente dependiente y desequilibrada. Su conducta modificaba la dirección de la vida del otro cónyuge y la de sus hijos. En la sesión siguiente, la pareja fue capaz de completar, juntos, sus lecciones kármicas. Fueron capaces de combinar sus pensamientos, ideas y creencias y fusionarse en una unidad, a través de la comprensión y el amor. Para ellos, la vida era realmente hermosa. Cuando cada persona es capaz de cumplir su misión en la vida, a través de la ayuda de otra, eso se convierte en amor en su forma más elevada. La tercera sesión en este capítulo trata de otra de las lecciones de la vida, completar el karma de la vida anterior. Los lazos de amor que hacemos en una vida, continúan uniéndonos hasta que podamos dominar lo que estuvimos de acuerdo en aprender.

No importa que la lección kármica haya sido de la relación, aquellos que sobreviven a la muerte, tienen la difícil tarea de enfrentar la parte emocional, física y espiritual de la vida sin el ser amado a su lado.

MI PROTECTOR

En una gira reciente a causa de mi segundo libro *Alcanzando el Cielo*, participé en un programa de televisión en el que los productores deseaban que hiciera sesiones para varias personas que estaban en el escenario, así como también entre el público. Recuerdo que fue un día agitado para mí, ya era la última presentación en una gira de veinte ciudades. Los productores sabían que la televisión era buena para hacer las sesiones, pero —como la mayoría de la gente— no tenían idea de la cantidad de energía que se necesita para esa clase de trabajo y de lo inconstantes que pueden ser los espíritus. Aunque una persona tenga el profundo deseo de contactarse con un ser querido, yo no puedo garantizar que un espíritu quiera presentarse a una persona en particular. Sin embargo, también sabía que a través de mis demostraciones, la gente adquiría una mejor comprensión de la vida después de la muerte y la esperanza de tener menos temor sobre la muerte.

Como con todos los programas de televisión que hago, antes de la lectura no tengo un conocimiento previo de la vida personal del individuo. En medio de esa presentación especial me sentí atraído hacia un hombre sentado en el costado. No parecía alguien muy abierto a ese tipo de experiencias. Mientras caminaba en su dirección, me sonrió con amabilidad.

—Hola, yo soy James —le dije.

—Ralph —fue su respuesta.

Expliqué que un espíritu quería comunicarse con él. Dije una oración, me puse en armonía con su energía y de inmediato sentí una increíble cantidad de dolor y angustia. Luego miré a los ojos oscuros de ese hombre y vi muchísima tristeza.

Comencé a calmar con lentitud mi mente y entré en un estado receptivo o, como me gusta decir, abrí la puerta al espíritu. Con rapidez aparecieron dos brillantes anillos de oro sobre la cabeza de Ralph.

—Estoy viendo dos anillos de oro que se juntan sobre tu cabeza. Cuando veo eso, habitualmente significa matrimonio. ¿Tienes una esposa en espíritu?

Antes de que tuviera tiempo de responderme, vi a una mujer alta, de cabello oscuro que se acercaba. Cuando tengo una visión como ésa, es muy semejante a cuando uno enfoca la lente de una cámara. La mujer se colocó del lado derecho del hombre y se acercó a su hombro. Parecía que había estado llorando.

—Tu esposa está aquí —dije.

Sacudió la cabeza asintiendo con fiirmeza.

—Me está dando la impresión de que hay hijos. Extraña a sus hijos. ¿Son dos niñas?

—Sí —contestó y comenzó a llorar.

Continué sintiendo el espíritu de su esposa y luego dejé escapar un suspiro.

—Tu esposa está muy triste. Yo me siento muy triste. Su estado emocional no es bueno. Siento que ella todavía está desanimada. Lamenta mucho haberles causado a ti y a las niñas tanto dolor. Siento que es nueva en ese estado. Como si fuera espíritu desde hace menos de un año.

Ralph aceptó eso con un movimiento de su cabeza.

—Me está mostrando un árbol de Navidad y me dice que tenía algo que hacer para Navidad. ¿Entiendes eso? —pregunté.

—Sí, ella murió el día después de Navidad.

Súbitamente sentí metal en mi boca. Para mí, eso siempre significa que está involucrado un revólver. Supe que ella era la que había usado el revólver y que nadie le había disparado. Supe que era un suicidio por dos razones. Primero, podía sentir el estado de perturbación emocional de la persona. Segundo, podía sentir que ella había tenido el arma en su poder. En otras ocaciones, puedo ver los detalles del evento.

Le transmití eso a Ralph.

—Ella me hace sentir que se disparó con un revólver.

—Es verdad —murmuró Ralph, mientras se frotaba los ojos. Todos estaban atónitos.

—Tu mujer me está diciendo que no pudo terminar su labor aquí abajo. Dice que mentalmente no pudo manejar la vida que tenía por delante. Era incapaz de mantener las cosas equilibradas.

Ralph volvió a asentir, moviendo la cabeza.

—Lo sabía. Sabía que ella no podía manejarlas. Me di cuenta justo después de que nos casamos.

—Me da la sensación de que tu esposa consumía drogas, como remedios, para manejar los cambios de ánimo. ¿Se deprimía mucho? —pregunté.

—Sí, así era. Tomaba Zoloft para la depresión y también veía a un terapeuta —contestó Ralph.

—Creo que tenía un desequilibrio químico. Ésa es la sensación que ella me está comunicando.

Ralph pareció estar de acuerdo.

—Me está diciendo que ustedes acordaron estar juntos en esta vida para aprender algo sobre intimidad y confianza. Siente mucho no haber podido cumplir su promesa. Dice que deben compartir otra vida juntos. Está diciendo que tendrán otra oportunidad. Quiere que te diga que está trabajando para mejorar.

Ralph se puso muy contento al oír eso y preguntó:

—¿Ella sabe todo lo que pienso en ella y que siempre la amaré?

Después de unos pocos segundos, le di la respuesta de su esposa.

—Sí. Puede leer tus pensamientos y me dice que el amor de ustedes se ha construido a través del tiempo. Sabe que tienes un lugar en tu corazón para ella. Dice que siempre fuiste su protector, no sólo en esta vida, sino también en otros tiempos. Siempre te considerará su protector.

Todos en el salón estaban sensibilizados por la comunicación de amor entre esas dos personas. El silencio era total.

Entonces expliqué en detalle la forma en que los espíritus siempre están enterados de nuestros pensamientos y sentimientos. En realidad, están mucho más conscientes de ellos de lo que imaginamos, porque los espíritus viven en un mundo mental y reciben, al mismo tiempo, impresiones de pensamiento desde el plano en que nosotros vivimos y desde el plano espiritual.

—Tu esposa está hablando sobre una hija que pinta un retrato de ella. ¿Entiendes eso?

—Claro. Jody hizo un dibujo de mi esposa para la escuela. Y efectivamente ganó un premio por ello. Está colgado en la heladera.

Miré a Ralph directamente a los ojos.

—Tu esposa quiere que consigas una mascota para las niñas. Ha estado tratando de hacer que pienses en eso.

—Si, lo sé. Justo ayer estuve hablando de eso con las nenas, pero no sé...

Lo interrumpí antes de que terminara la frase.

—Me dice que es importante porque ayudará a las niñas con su pena. Pueden expresar su amor por otra criatura y aprender sobre el amor.

Ralph sonrió, pero no pareció muy entusiasmado por la idea. La energía en el salón comenzó a debilitarse. Me resultaba cada vez más difícil sentir y oír los pensamientos de la esposa. Había un último mensaje que quería comunicar.

—Tu esposa quiere hablarte sobre el sofá. Ella está contigo cuando miras televisión por la noche. ¿Eso te dice algo? Dice que ya no tienes que pelear por cambiar los canales. Ella sigue contigo en el sofá.

El rostro de Ralph se iluminó.

—La siento conmigo. Solíamos mirar juntos televisión cada noche y discutíamos sobre lo que íbamos a mirar. Al final nos poníamos de acuerdo y ella siempre se quedaba dormida y yo la abrazaba, protegiéndola.

Con eso, intercambiamos una sonrisa de entendimiento y nos estrechamos las manos.

Más tarde, Ralph me contó toda la historia sobre él y su esposa Stacey. Me dijo que había crecido en Brooklyn. Conoció a su esposa en la facultad y estuvieron de novios varios años antes de casarse. Después de cinco años, tenían dos niñitas, Jody y Debbie. Ralph trabajaba en la fiscalía del distrito. Era muy eficiente en su trabajo, logró varios ascensos y pudo comprar una hermosa casa en un suburbio de Nueva York. Creía que la vida era la más perfecta que podían conseguir. El y Stacey vivían el típico sueño americano, con paseos de fin de semana y reuniones de la asociación de padres y maestros. Parecía una buena vida o eso era lo que Ralph creía.

Hasta que una tarde, al regresar a su casa del trabajo, encontró a Stacey durmiendo en la cama. La casa era un desastre y las niñas tenían hambre. Ralph se dio cuenta de que algo andaba mal.

—Ella había tenido muchos cambios de humor en ese último tiempo, pero ésa era la primera vez que la veía así.

Stacey le explicó a Ralph que era una especie de crisis de mitad de la vida. Al principio Ralph no le dio mucha importancia, pero luego los cambios de humor de Stacey se hicieron muy frecuentes.

En una oportunidad, Ralph salió del trabajo a la hora del almuerzo.

—Era una de esas raras ocasiones en las que podía salir temprano del trabajo y quise sorprender a Stacey.

Ralph me contó que entró a la casa por la puerta trasera.

—Noté que estaba todo demasiado tranquilo —dijo—. Y me pareció oír un gemido que provenía del sótano. Abrí la puerta y comencé a bajar por la escalera.

Me contó que al llegar al último escalón, vio una sombra oscura en un rincón.

—Por la luz del sol que se filtraba a través de una ventanita, pude distinguir la figura de Stacey, inclinada contra la pared.

Al aproximarse, Ralph se sintió impresionado al ver a Stacey en una posición fetal.

—No podía creer lo que veía. Tenía un cinturón alrededor del brazo y había una jeringa en el piso. Me arrodillé y la llamé.

Pero Stacey estaba demasiado lejos como para que Ralph pudiera alcanzarla.

—Parecía como si estuviera en otro mundo muy lejano, así que grité, pero aún así no pudo salir de su sopor.

Se dio cuenta de que tenía que conseguir ayuda de inmediato, así que la llevó arriba y llamó a los paramédicos. La llevaron rápidamente al hospital y, por suerte, la salvaron de una sobredosis de droga.

Allí fue cuando Ralph se enteró de que Stacey era adicta a la heroína desde hacía un año.

—Las pastillas que tomaba para sus cambios de estado de ánimo ya no parecían ayudarla. Decía que cada día se sentía peor. Creo que tenía miedo de envejecer. —Ralph mencionó que un novio de la mejor amiga de Stacey era el que la había hecho adicta a la heroína.

Después de la sobredosis casi fatal, Stacey prometió a Ralph que haría un tratamiento de rehabilitación.

—Por un tiempo, las cosas parecieron volver a la normalidad. Pero Ralph todavía sentía que algo andaba mal.

—No podía darme cuenta de qué era —dijo. Pero esa sensación lo preocupaba. Entonces todo llegó al final, temprano una mañana, el día después de Navidad.

Ralph se despertó a la madrugada.

—Escuché el sonido de una detonación.

A las tres y media de la mañana, Ralph encontró a su esposa tirada en el cuarto de baño.

—Se había volado la cabeza.

Puesta al día

Mi sesión con Ralph ocurrió hace un año. Desde entonces, he hablado con él sobre su progresivo proceso de duelo.

—Todavía extraño mucho a Stacey, pero saber que está viva y con nosotros de alguna manera, realmente me ayudó —dijo.

También mencionó que había podido hablar de sus sentimientos con amigos que sabían todo sobre Stacey y su drogadicción.

—Hablar con gente que sabía por lo que había pasado, fue una ayuda enorme —me contó.

Continuó diciéndome que animaba a sus hijas para que hablaran con su madre, pero no parecían necesitar que las apremiaran.

—Las niñas entienden que su mamá es un ángel y siempre estará para cuidarlas.

—Todavía celebro su cumpleaños —dijo.

Ralph dijo que ahora comprendía que había una razón para esa experiencia.

Y luego dijo algo que me sorprendió.

—Estoy preparado para pensar en encontrar a alguien a quien amar, algún día. Será difícil llenar el lugar de Stacey, pero deseo intentarlo.—Los dos estuvimos de acuerdo en que era una señal de progreso.

—Stacey todavía se comunica conmigo. A veces la siento alrededor, otras veces algo cae de un estante y yo sé que es ella.

Ralph me contó que él y las niñas soñaban con Stacey y que ella parecía estar feliz y más tranquila. En un sueño, Stacey entraba con Ralph en una cabaña de madera, con muebles artesanales y hermosos tapices. Cuando miró por la ventana, Ralph vio un lago que le resultaba conocido.

—Ese sueño significó mucho para mí —me dijo. Él y Stacey siempre hablaban de ahorrar dinero para comprar una cabaña al lado del lago. Sentía que Stacey había construido la casa en forma espiritual. —Un día estaremos juntos los dos otra vez para disfrutarla.

SOBREVIVIENTES AL SUICIDIO

En mi primer libro, *Hablando con el Cielo*, dediqué un capítulo a la visión espiritual del suicidio. Desde entonces, mucha gente me ha hecho preguntas sobre sus seres queridos que se suicidaron. El tema más común es si la persona queda detenida en algún purgatorio o infierno, a causa de haberse suicidado. Es frecuente que los que sobreviven a las víctimas del suicidio se sientan muy culpables, como si hubiera algo que ellos podrían haber hecho para evitar esa acción. Esto es comprensible, aunque es erróneo.

El suicidio es un tema complicado y hay muchas razones por las que ocurre. Los espíritus habitualmente comunican en las sesiones que se arrepienten de sus acciones. Muchas almas que se suicidaron en esta vida, se habían suicidado en una vida pasada. Regresan para sobreponerse a la inclinación al suicidio, pero son incapaces de cumplir con lo que debían hacer. Deberán regresar una vez más y tendrán otra oportunidad para aprender esa lección.

Luego están las almas que se suicidaron porque tenían desequilibrios mentales y químicos. Stacey era una de ellas. Esas almas no son totalmente conscientes de sus decisiones. Cuando mueren, se encuentran en una especie de hospital, donde los pueden ayudar.

Unas pocas almas regresan con demasiada rapidez al reino físico. Mencioné esa idea en *Alcanzando al Cielo*. Esas almas no han tenido suficiente preparación en el reino espiritual como para regresar a la tierra totalmente conscientes de sus lecciones y cuando llegan aquí, se dan cuenta de que han regresado prematuramente. Esas almas saben que no encajan aquí y no están en verdad preparadas para pasar otra vida en el reino físico.

Cuando una persona se suicida, hay mucho que tiene que aprender en la otra vida antes de pasar a los reinos celestiales más elevados. Una vez que se da cuenta del suicidio, el alma tiene libre voluntad para pedir ayuda. Los espíritus guías están siempre alrededor, para ayudar a los que lo necesiten. Siempre depende de cada alma individual aprender de sus propios errores y progresar en el mundo espiritual. Es por eso que siempre digo a la gente que siga rezando por aquellos que murieron. Tus oraciones no sólo los consolarán, sino que el amor y la intención detrás de las oraciones los ayudan a avanzar en sus senderos espirituales.

EL AMOR NO CONOCE LÍMITES

Los humanos saben que el amor existe, pero muchos no saben qué es el amor. Piensa en todas las veces que has dicho para ti mismo o a otra persona: "Te amo. Amo a mis hijos. Amo mi trabajo". Estoy seguro de que todos podemos dar ejemplos de actos de amor y dar testimonio de la profundidad del amor que tenemos por alguien o algo. ¿Pero podemos describirlo con exactitud? Lo sentimos, lo pensamos, lo fantaseamos y lo experimentamos; sin embargo, cuando nos piden que lo definamos, nos quedamos cortos. ¿Por qué el amor es tan difícil de definir? Probablemente porque la respuesta es demasiado simple para que la comprendamos.

El amor es todo. Es la energía del universo. Es la fuerza divina, invisible, unificadora, que mantiene todo unido. Está en nosotros, rodeándonos y conectándonos. El amor pertenece a cada uno y a todos; no hay fronteras, ni sistemas de creencias, ideologías religiosas o políticas o prejuicios que puedan controlar o manipular el amor. Es la única cosa real que existe y cada uno de nosotros está hecho de eso. Sin embargo, con frecuencia tenemos dificultades en reconocer al amor en nosotros mismos o en cualquier otro.

Todos somos una parte de ese único conocimiento del amor. Cuando seamos capaces de comprender que cada uno está formado por ese mismo elemento divino, seremos capaces de abrir la puerta a esa energía de la fuerza de Dios en cada aspecto de nuestras vidas. Mientras más aligeremos nuestros juicios y mientras más comencemos a respetar al otro por lo que es, un hijo de Dios, más brillante y pura se volverá nuestra vibración espiritual. Cuanto más nos unamos al amor, más cerca estaremos de Dios o de nuestra conciencia de Dios. Cada uno tiene la oportunidad, en esta tierra, de usar la energía divina del amor. Por increíble que pueda parecer, al honrarse y respetarse uno al otro, nos estamos amando a nosotros mismos. Pero pocos están dispuestos a avanzar en ese conocimiento amoroso con todo el corazón. Por el contrario, sólo estamos dispuestos a dar y recibir amor gradualmente y la mayoría es capaz de dar solamente con la esperanza de conseguir algo a cambio. Ése es un amor basado en condiciones. El amor del que hablo es incondicional. Es el que da todo y realiza todo. No es una clase de inversión de la que se espera una retribución.

Cuando pones al revés la palabra amor en inglés "love", queda "evol". Uno debe amar (love) para poder evolucionar (evolve) espiritualmente. Como seres de luz, seremos reconocidos, no por la inteligencia que poseamos o por nuestra riqueza adquirida o el status público o político, sino solamente por nuestra capacidad de amar. La inteligencia del corazón trasciende este reino mortal.

He descubierto al hacer mis sesiones que, cuando un espíritu viene a través de una vibración de amor, el mensaje es de gran claridad y pureza. La información llega sin esfuerzo. Hay un sentimiento de alegría que rodea la comunicación. Siempre le digo al cliente que si hay un lazo de amor entre esa persona y la persona difunta, eso ayuda a la comunicación del espíritu. Es sorprendente escuchar a un espíritu describir todo el amor que existe en el mundo espiritual. A menudo, el espíritu menciona que habría progresado mucho más en un nivel espiritual si hubiera utilizado más amor mientras estaba en la Tierra. Muchos espíritus hablan sobre la necesidad de amar a los otros, así como de amarse a sí mismos. Comunican con firmeza una y otra vez: "Nunca es demasiado tarde para comenzar a amar".

Quiero compartir contigo una sesión que sucedió hace algunos años. Se refiere a una pareja de ancianos, Margaret, para sus amigos "Margie", y Bart, para sus amigos "Buddy". Margie y Buddy se conocieron en la secundaria y siguieron juntos por el resto de sus vidas. Estuvieron casados cincuenta y dos años. En mi opinión, la vida de Margie y Buddy es un ejemplo de la gran capacidad que dos seres humanos tienen para el amor. Buddy y Margie se amaban incondicionalmente y enseñaron a otros que, con amor, todas las cosas son posibles. La historia de ellos demuestra cómo vivir positiva y abundantemente, renunciando a las expectativas, miedos e ilusiones de los demás, que a menudo son un obstáculo del amor. En lugar de vivir de acuerdo con las normas de la sociedad, Margie y Buddy se regían por las reglas del corazón. El amor de ellos confirma que hay amor incluso en la muerte y que, con amor, nunca estamos solos.

Como la mayoría de los matrimonios, esta pareja original experimentó todos los altos y bajos que la vida suele ofrecer. Atravesaron guerras, bancarrotas, enfermedades, muertes, hijos y nietos. Tuvieron su cuota de trabajos, casas y vacaciones, buenos tiempos, malos tiempos y todo lo demás entre medio. Después de trabajar con Margie, me senté un par de horas con ella, sin querer abandonar su compañía. Había una dulzura única y extraña en ella. Era y todavía es, toda una dama y una gran maestra de vida.

La recuerdo diciendo: "James, debes calmarte y no cargar

el mundo entero. No debes preocuparte por aquellos que no creen en tu trabajo y en lo que dices. Sus propias limitaciones les impide ver la verdad". Esas palabras resonaron muchas veces en mí. He aprendido mucho de Margie, como de tantos otros. Después de la sesión, sentí como si ella me hubiera dado mucho más de lo que yo le di a ella. Me sentí iluminado por su presencia.

Cuando me senté por primera vez con Margie, no creí que ella necesitara una sesión. Parecían tan unidos, no creía que nada del mundo espiritual cambiaría su perspectiva de la vida. Sabía que no acudía a mí en completa desesperación. Más bien, simplemente quería hablar otra vez con la persona que en su vida le había enseñado cómo amar. Quería hablar con su compañero del alma, Buddy, que había muerto dos años antes de cáncer de pulmón. Al mismo tiempo, Buddy estaba en el otro lado, esperando para hablar con ella. Recuerdo a Margie estirándose su vestido con un gesto solemne, cuando comencé la sesión.

—Hay un caballero de pie, en su lado izquierdo y desea tomarla de la mano.

—Ese es Buddy, está bien. Siempre quiere tomarme de la mano. Es tan desfachatado —confesó con una risita.

—Lleva un traje color castaño —continué—. Dice que no quiere que lo desprecie por haberse vestido de etiqueta. Es muy encantador. Se está riendo. Me muestra una medalla que tiene en la solapa.

—Oh, Dios. ¿Todavía tiene esa porquería? —Margie se volvió hacia la izquierda y chilló: —Buddy, puse esa cosa en el féretro. ¿No podías haberla dejado allí?

Tuve que esperar por su respuesta. Vi a Buddy sujetando un ramo de flores para Margie.

—Le está dando lirios púrpura.

La expresión decidida en el rostro de Margie desapareció

y sus ojos se llenaron de lágrimas.

—Son mis flores favoritas. Me las compraba cada aniversario y cada cumpleaños. De hecho, plantamos unas un par de semanas antes de que muriera. Lo extraño, sabe.

—Sí, lo entiendo —sentía su tristeza.

Margie me interrumpió.

—Esa medalla era un Corazón Púrpura. Lo consiguió durante la Segunda Guerra Mundial. Salvó a todo un batallón.

Volvió la cabeza hacia el piso, en un gesto que pensé era un profundo momento de contemplación. De pronto, levantó la vista y gritó.

—Era tan tonto. Pero así era. Cualquiera que necesitaba una mano, aunque fuera alguien que no conociera, intentaría ayudarlo.

—Buddy quiere que sepa que hay gente maravillosa en el mundo espiritual. Se ha encontrado con muchos viejos amigos de ustedes. Ha visto a Mae y a la mamá y al papá de usted. Dice que todavía son los mismos. Su padre está entusiasmado porque ahora ve.

Margie lloró.

—Oh, la buena Mae. Es mi hermana. Hace diez años que murió. Mi padre estuvo ciego durante casi toda su vida adulta. Hubo un accidente en su fábrica. El pobre hombre sufrió mucho. Me hace muy feliz saber que puede ver de nuevo. Eso fue hace tanto y sin embargo parece ayer.

—Buddy me dice que la visita todo el tiempo. Me dice que está con usted cuando escucha Blue Moon y quiere bailar con usted.

—Ésa era nuestra canción preferida. Cada vez que la escuchábamos, me hacía poner de pie y bailábamos, igual que la primera vez que nos conocimos.

Margie miró al costado, recordando los buenos tiempos pasados.

—Escuché esa canción en la radio las otras noches. Y sabe —dijo, mirándome—, supe que él estaba allí, a mi lado, deseando bailar. Lo sentí. Podía oler su colonia y prácticamente sentir su mano tocando la mía. Pensé que eran imaginaciones de una vieja.

—El estaba allí —afirmé—. Me está diciendo que eso fue real.—Y continué : —Buddy quiere que le diga que se siente como un chico otra vez. Y, a propósito, dice que la vio tirando unas píldoras hace poco. Se ríe y dice: "Ésa es mi muchacha".

Margie rió y dijo:

—Oh, sí, para la presión alta. Simplemente pensé que había vivido hasta ahora sin ellas. No creo en realidad que hagan diferencia. Pienso que los médicos todavía tienen mucho que aprender. Tienen la tendencia de dar demasiados remedios a la gente. Dios nos ha dado un remedio para todo. Estuve tomando hierbas durante años y tengo ochenta y siete años.

Continuamos un rato sin mirar el reloj. Margie era ciertamente un personaje y un alma sabia. Buddy siguió con detalles sobre sus hijos y nietos. Habló de los viajes que hicieron juntos y todas lo que compartieron en la vida. Hablaban de amarse uno al otro, sin considerar sus defectos y peculiaridades personales.

Margie respondió:

—Demasiada gente vive con temor y prejuicios. Tienen que pasar por alto una cantidad de cosas menores que suceden en una relación y enfocarse en el amor. Es la única forma de sobrevivir y crecer.

Margie y Buddy charlaron sobre la relación de ellos, que había sido simple y no se había estropeado con complicaciones.

La sesión fue iluminadora y emotiva. Hacia el final, algo me tocó en profundidad.

—Su marido quiere que salude a Hank.

—Oh, Hank. Sí, lo haré. Él no es como tú, Buddy, es un poco lento, pero es un hombre bueno. Y a propósito, arregla todo en la casa. Fue una buena idea, Buddy.

Recibí un destello de un viaje a Las Vegas y pregunté a Margie si eso significaba algo.

—Oh, sí. Hank y yo nos casamos allí.

Yo estaba confundido, porque sabía que Buddy era su marido.

—Oh, sí, Buddy es mi marido y Hank lo es, también. ¡Una vieja dama con dos maridos! —su sonrisa confiada fue como un relámpago.

—Buddy y yo estuvimos casados durante cincuenta años. Sabíamos que algún día, uno de nosotros iba a morir. Nos amamos mucho. Buddy casi nunca se enfermaba, pero cuando le diagnosticaron cáncer, supimos que era el fin. Buddy no quería que me quedara sola en la vejez. Dijo que si no podía quedarse aquí para cuidarme, deseaba que algún otro se quedara conmigo y me hiciera compañía. Entonces buscamos en nuestra comunidad de jubilados.

Margie dejó escapar una leve carcajada, disfrutando de una broma privada.

—Encontramos tres caballeros con posibilidades. Eran todos viudos. Buddy y yo discutimos sus puntos buenos y los malos. Pensamos que Fred era demasiado necesitado y Joe demasiado religioso. Yo no soy una persona religiosa. Creo que Dios está en el corazón, no en una iglesia. De todos modos, Hank era el hombre encargado de los arreglos en todo el complejo y nos gustábamos. Yo a él más que él a mí, por supuesto. Así que Buddy le preguntó a Hank si podía cuidar de mí cuando él se fuera. Hank estuvo de acuerdo y varios meses después de la muerte de Buddy, nos casamos en Las Vegas. Las señoras del complejo piensan que Hank es un viejo indecente. Já, si supieran la verdad.

Estaba asombrado al pensar en que Buddy había organizado la relación de Margie, para que tuviera compañía después de su muerte. Era una gran lección sobre compartir y dejar ir al mismo tiempo. Ni Margie ni Buddy se preocupaban por lo que pensaran los vecinos, ni dejaron que el orgullo o el ego se interpusieran en el camino del amor del uno por el otro.

Lo último que Buddy dijo a Margie fue:

—La próxima vez que escuches Blue Moon, imagíname ante ti, buscando tu mano y pidiéndote que bailemos.

Buddy verdaderamente capturaba el momento. Mi sensación es que sus días de baile, igual que el amor de ellos, continuarán para siempre.

Puesta al día

La última vez que hablé con Margie, ella y su marido Hank se habían mudado a Las Vegas. Margie decía siempre que era una jugadora con suerte y sentía que Buddy la ayudaba en las máquinas. Ella y Hank estaban pasando sus años dorados viajando por el país. "El es mi mejor amigo ahora —decía Margie de Hank—. Nos gusta hacer la misma clase de cosas y disfrutar la compañía de ambos. Somos lo que podrías llamar buenos compañeros de casa." Cuando terminamos nuestra conversación, Margie me recordó una última cosa: "Creo que Hank, Buddy y yo vamos a poder estar juntos en el más allá y eso me parece muy bien".

Guía desde el más allá

Parte de la significación de estar involucrado en la comunicación después de la muerte y en la ayuda para el duelo es experimentar lo profundo y lo sagrado. Cuando me abro a las dimensiones espirituales, nunca sé quién querrá comunicarse o qué se manifestará en la interacción. La mayoría de mis sesiones contienen detalles probatorios que confirman una genuina comunicación con un cliente y un ser querido, lo que corrobora la supervivencia de la conciencia, más allá del pasaje de la muerte. Sin embargo, existen esos raros momentos en los que otros seres se revelan ellos mismos durante una lectura. Con frecuencia, confieren penetración espiritual para ayudar a que el cliente expanda su propio conocimiento espiritual. Hace muchos años, yo experimenté uno de esos momentos excepcionales. Era una sesión que no sólo cambió la perspectiva de la vida de mi cliente, sino también la mía. Mientras estoy sentado aquí y escribo este libro, me doy cuenta de que esta sesión particular que sigue a continuación, estaba destinada no sólo a la mujer que me visitó en una tarde de primavera en 1993, sino que tenía que compartirla con el resto del mundo.

Al presentar lo que sigue, mi esperanza es que quieran reflexionar sobre esta información con una mente abierta. Si esto resuena dentro de tu ser, aplícalo a tu vida y observa cómo cambian tus ideas preconcebidas y tu conocimiento. Tal vez sea la llave que necesitas justo ahora, para descubrir tu felicidad y aumentar tu entendimiento. Creo que la sesión demuestra que el poder del amor y sólo el amor puede ayudar a liberarnos de las trampas de las experiencias pasadas y a vivir con integridad la verdadera y pura sensación de gozosa totalidad. Como con todas las sesiones que narro en mis libros, intentaré transmitir no sólo la información detallada y el mensaje de la sesión, sino que repetiré algunas de las emociones genuinas que se revelan entre ambas dimensiones.

La campanilla sonó cinco minutos antes de las dos. Justo había terminado de comerme un sándwich de atún. Estaba en el proceso de concentrarme antes de que llegara el cliente, pero ella llegó cinco minutos antes. El sonido de la campanilla me hizo recobrar la conciencia y rápidamente corrí hacia la puerta. Una atractiva mujer de cabello rubio se presentó a sí misma como Susan. Cuando sonrió, noté la perfección de sus dientes blancos, que hacían juego con su figura y su rostro perfecto. La invité a pasar a mi living y le pedí que se pusiera cómoda.

Después de asegurarme de que había entendido la forma en que se producía la comunicación del espíritu, comencé a sentir una "densidad" de la energía en la habitación. Eso es algo que suele ocurrir y he notado que la energía en la habitación comienza a cambiar cuando estoy por hacer una lectura y a menudo antes de que llegue el cliente. Creo que ésa es la energía de "espíritus trabajadores" que acuden para ayudar a la manifestación de la comunicación del espíritu.

Por lo general, pido que el cliente no comparta información conmigo antes de la sesión. Prefiero que mis pensamientos no sean distorsionados por los deseos y expectativas del cliente. En el caso de Susan, tenía una abrumadora necesidad de hablarme. Los clientes por lo general están nerviosos al llegar, porque nunca antes han hecho algo así. Cuando nos sentamos, Susan dijo:

—Espero que puedas ayudarme, James. Tengo unas pesadillas horribles. Rezo antes de acostarme, pero eso no parece ayudarme. También siento que nunca estoy sola en mi habitación, como si alguien me vigilara. Es algo extraño.

Le aseguré que todo iba a estar bien y comencé a entrar en estado de meditación. Me puse acorde con la energía que la rodeaba y de inmedito sentí la presencia de una señora con acento alemán.

—Trudy te envía su amor y te está cuidando. No te preocupes, nada te va a hacer daño.

Me enteré de que Trudy era la abuela de Susan y que, en Alemania, era espiritista a fin del siglo.

—Está diciendo que ahora trabaja en el mundo espiritual con gente que había tenido discapacidades físicas mientras estaba en la Tierra. Hace todo lo que puede para ayudarlos a acostumbrarse a su nueva vida de libertad en la dimensión espiritual.

Eso tuvo sentido para Susan, porque la abuela Trudy trabajaba en un hospital como fisioterapeuta.

En un momento, Trudy me dijo:

—La habitación está colmada. Hay otros aquí que necesitan hablar con Susan. Hace mucho que esperan este momento.

Agradecimos a Trudy y yo esperé recibir mayores impresiones del mundo espiritual.

Después de unos pocos momentos, llegó un hombre que parecía un poco "fuera de lugar". Se protegía la cabeza con la mano izquierda.

—Hay un hombre de pie detrás de ti. Su rostro es muy blanco y se sujeta la cabeza del lado izquierdo, justo cerca de la oreja. Parece un zombie, ya que solamente me mira fijo. Le envío pensamientos, pero no quiere o no puede responderme.

De pronto, Susan comenzó a agitarse ante ese comentario. Yo continué.

—Esto es raro. Estoy viendo una playa. Parece una playa de noche y hay luna llena. Puedo verla reflejada en el agua. Ésa es la silueta de ese hombre. Está mirando desde una ventana en dirección al mar.

Miré a Susan y agregué:

—Me recuerda a la playa de Malibú.

—Sí, por favor, continúa —pidió con ansiedad.

—Ahora él camina hacia una estantería con libros. Se da vuelta y abre la boca como si quisiera decir algo. Está golpeando algo con la mano. No se qué significa. Ahora parece que gritara. Se cae y se sujeta la cabeza. Todo lo que puedo ver ahora es un charco de sangre en la alfombra. Su cabeza está apoyada en un charco de sangre.

Susan dejó escapar un gemido.

—¡Ésa es mi pesadilla! Debes detenerla. Por favor, que no vuelva más.

Yo también estaba estremecido. Los detalles eran muy vívidos en mi mente. Era como mirar una foto. Sabía que acababa de ser testigo de lo que debía de haber sido un asesinato y me sentía muy raro. La mayoría de las veces me siento bien cuando veo muertes, porque soy un observador, no un partícipe de ello. En esa escena me sentí inmediatamente involucrado y muy perturbado.

Después de unos instantes, Susan se sonó la nariz y dijo:

—¿Por qué tuvo que suceder?

Hice todo lo que pude para convencerla de que el asunto había terminado y nada podía lastimarla. Comencé a ver un anillo, no uno común, sino tres entrelazados en uno. Le pregunté a Susan si eso significaba algo.

—Sí. Eso es así. Los compramos en Big Bear, justo después de conocernos y los usamos como anillos de casamiento.

—No se qué significará esto, pero oigo algo como "Bobo". Creo que es eso lo me llega. ¿Conoces ese nombre?

—Sí, es mi marido. Su verdadero nombre es Bobby, pero yo lo llamo Bobo. Nadie más lo llama así, salvo yo. Lo extraño. Lo extraño mucho.

La visión anterior se había desvanecido y yo estaba lleno de una enorme compasión por ese hombre, y oleadas de emoción.

—Este hombre Bobo parece un tipo muy desgraciado. Lo lamento, pero parece muy perdido, como si lo hubieran olvidado. Parece llorar continuamente. Siento que no voy a poder continuar si no se detiene. Hay mucha tristeza en él. Siente que te abandonó.

Susan miró al otro lado y le habló directamente a Bobo.

—Estoy aquí, tesoro. Tú sabes que yo siempre estoy aquí para ti. Y que siempre estaré.

—Lo percibo acostado en una cama, en posición fetal. La colcha de la cama es amarilla, con pequeñas flores rosadas y rojas. Y también veo almohadones rojos.

—¡Ésa es mi cama! —exclamó Susan—. Yo tengo esa colcha y esos almohadones rojos. Oh, mi Dios. ¿Es allí donde está él? ¿Bobo, eres tú en la cama?

—¿Era un hombre muy controlador? —pregunté—. Porque parece un poco brusco y como si siempre quisiera que las cosas se hicieran a su manera. No acepta un no por respuesta.

—Sí, James. Supongo que se podría decir eso. Pero yo siempre supe manejarlo. Es gracioso, yo era la única a la que no gritaba. Pero en el trabajo, olvídalo. Era un tirano y despedía gente todo el tiempo.

—Está mencionando algo sobre el negocio del espectáculo. ¿Estaba en la industria del cine?

—Bueno, era un agente musical. Solíamos salir con mucha gente del espectáculo.

Entonces, una información muy intrigante fue revelada.

—Me está dando el nombre de Kristine o Kristel, con K. ¿Conoces a esa persona? —pregunté.

Susan bajó la vista, hacia su pie izquierdo. Los ojos se le llenaron de lágrimas. Me miró y murmuró.

—Sí. Entiendo. ¿Qué pasa con eso?

—Él insiste en que lo siente. Tú tenías razón. Él lo siente. Él te abandonó. Quiere que sepas que te ama.

—¿Entonces, es verdad? —quiso saber.

—Sí, está diciendo que es verdad y que lo lamenta mucho. Tú lo sabías.

Susan comenzó a llorar.

—Lo presentía, pero no quería creerlo. ¿Cómo pudo hacerme eso? ¿No sabía cuánto lo amaba? Pude tener a cualquiera, pero me enamoré de él.

—¿Conoces a esa mujer? —pregunté.

—Sí, la conocí hace un tiempo. No fue a su funeral. Algunas personas del trabajo dijeron que después de la muerte de Bobby, ella regresó al Este con su familia.

La lectura continuó cuando Bobo confesó su relación amorosa con una compañera de trabajo llamada Kristine. Explicó que la había conocido en una fiesta y los dos se sintieron atraídos.

Susan se había enterado después del asesinato de su marido.

—No quise creerlo.

—Me está dando el nombre de Dan o Danny. ¿Conoces a alguien con ese nombre?

A Susan ese nombre no le decía nada. Se lo repetí, insistiendo en que debía conocerlo.

—Tu marido es muy categórico en eso.

—No, lo siento, no significa nada para mí.

—Recuérdalo. Puede tener sentido en el futuro.

Ésa es una situación extremadamente común en las lecturas. Es habitual que la persona tenga sus propias expectativas sobre lo que va a oír y no esté abierta a informaciones nuevas o diferentes.

—Me está diciendo que Danny sabe todo, que está instalado en una playa en México. Que volverá de México. ¿Algo de eso tiene sentido para ti?

Susan no interpretó lo que su marido decía. Sin embargo, varios meses más tarde, la información revelada por su marido muerto cobró sentido.

Había estado sentado con una concentración total durante cincuenta minutos y empezaba a cansarme. Recuerdo que miré hacia Susan y vi a una mujer con el alma destrozada. Recuerdo claramente que me dije que tenía que terminar. Estaba cada vez más cansado y no quería quedarme dormido frente a un cliente. Comencé a sentir mucho calor y tuve conciencia de la sensación de una energía turbulenta que me rodeaba. Sentí que la energía en la habitación se volvía más liviana y hasta el aspecto del lugar cambió, con colores más brillantes. Luces azules, violetas y doradas formaban remolinos por toda la habitación. De pronto, un hombre con profundos ojos azules entró en mi alma y me desmayé.

Lo primero que vi cuando abrí mis ojos fue a Susan, de pie frente a mí, con una gran sonrisa y un vaso de agua.

—¿Estás bien? —me preguntó.

Ésa no podía ser la misma mujer que momentos antes estaba sentada frente a mí, llorando desconsolada.

—Muchas gracias, James. Te lo agradezco mucho. Eres maravilloso, no puedo creerlo. Me ayudaste a entender. Ahora todo tiene mucho más sentido.

No sabía a qué se refería y me sentía como en un episodio de la Guerra de las Galaxias.

—No entiendo.

Me dijo lo que había ocurrido. Yo había caído en un estado de total inconsciencia y el espíritu guía de ella apareció para hablarle. Eso es muy raro en mis lecturas.

—¿Te importa si vuelvo a pasar el casete y escucho lo que dijo tu guía?

—Por supuesto que no —respondió.

Apreté el botón y de pronto se oyó una voz profunda y melodiosa, llena de compasión. No había nada desagradable o discordante en su tono, todo lo contrario. Yo mismo había oído, en estado de trance, cuando varios de mis propios guías aparecían, pero nunca había oído antes esa voz.

"Saludos, mi querida. Estoy contigo en este día para llevar un mensaje a un alma anhelante. Tu bondad y compasión han iluminado el corazón de tu joven compañero, como lo ha sido durante eones en lo que ustedes consideran tiempo. Han caminado juntos muchos senderos, con grandeza y humildad, en la paz y la guerra, llevando al extremo el trayecto de la experiencia humana. Han compartido manifestaciones como esposa y marido, madre e hija, padre, hijo, hermana y hermano. Tú has ensartado una hilera de diamantes hechos con tu amor, a través de la eternidad. Están aquí hoy, después de haber compartido tiempo y espacio como compañeros otra vez. Una asociación no sólo en el sentido físico, sino también en el espiritual. La pareja no está limitada a marido y mujer. Padres e hijos, amigos y amantes, están todos en una asociación, trabajando para el crecimiento y la plenitud.

"En este tiempo más reciente, esta alma que tú conoces como Bobby, regresó a la Tierra con un compromiso contigo, creado muchas vidas atrás. Tu has sido y seguirás siendo su maestra. Ése es un papel que ambos encontraron conveniente y en el que tú estabas más cómoda. Esta vez tu compañero se encontró reviviendo viejos modelos del alma que había agotado en muchas vidas. Una vez más su baja autoestima obligó a su ego a buscar en otro lado amor y seguridad, en lugar de seguir en su propia fuente de luz. No entendió que su corazón había encontrado un lugar para descansar contigo, con quien se casó. En lugar de eso, tuvo un romance con una mujer a la que había conocido en una vida anterior. Él amaba entonces a esa mujer, pero era un amor no correspondido. En esta vida, se sintió obligado a conquistarla y no iba a aceptar un no por respuesta. Ahora dice que se da cuenta de que tenía el amor perfecto contigo; sin embargo, fue su ego que lo apartó de la verdad de su ser. Pero fue asesinado por otro hombre que usa el control y la manipulación para conseguir lo que quiere en el mundo. Tu esposo estaba con esa mujer, en casa de ella, cuando lo mataron. Ésa era su prueba y, como en tiempos anteriores, resultó ser una fatal.

"Tú viniste con el corazón abatido y eso no sólo te afecta a ti, sino a cada uno con el que estás en contacto físico, espiritual, mental y emocional. No sólo estoy hablando de aquellos que existen en tu tierra, sino también de aquellos de nosotros en el mundo espiritual. Cada uno que te conoce y se preocupa por ti y te quiere, siente tu perturbación y tu agonía, en especial el hombre que tú crees que te causó toda tu pena. A ti, mi querida, te resulta difícil creer que esa persona que has amado y por quien cumpliste tus promesas, pueda abandonarte por otra. Te sientes trampeada. De la misma manera que te parece ilógico que su vida fuera tan corta y tú te quedaras para vivir sola, sin él. Lo que ves es un reflejo de lo que viste primero dentro de tu propia mente. Siempre proyectamos en el mundo los pensamientos, sentimientos y actitudes que nos preocupan. Depende de ti ver el mundo diferente, cambiando tu mente sobre lo que quieres ver. La tentación de reaccionar con ira, depresión o entusiasmo existe a causa de las interpretaciones que hacemos de los estímulos externos en nuestro ambiente. Tales interpretaciones están basadas en una información incompleta.

"A menudo buscamos amor en parejas, hijos, padres y amigos. Sentimos que es más fácil amar a otros que a uno mismo. De alguna forma, eso nos satisface, pero es una falsedad. En tu mundo tienes un ilusorio poder conocido como miedo. Se siente miedo cuando uno no es honesto con uno mismo. Nuestro miedo de no ser amados como retribución, nos impide crecer como seres afectuosos y plenos. Ese miedo se impone en los otros, en especial en los que amamos. Los otros no tienen que cambiar por nosotros para tener paz mental. Es en el interior de nuestro propio ser que primero debemos experimentar esa paz. Si nuestro estado mental es el de bienestar, amor y paz, eso es lo que proyectaremos al exterior y, por lo tanto, experimentaremos. Si nuestro estado mental está lleno de dudas y miedo, proyectaremos ese estado al exterior y eso, por consiguiente, se volverá nuestra realidad. Cuando uno viene del miedo, está viendo al mundo desde un punto de vista distorsionado. No se puede acudir a los otros para satisfacer aquello que está faltando en uno.

"Tu compañero tenía que aprender a amarse a sí mismo, pero no tenía idea de lo que eso significaba. Volvió a sus hábitos del pasado de control y manipulación de los demás, para convertirlos en indefensos. Tú querías ayudarlo a aprender y reconocer la amistad íntima en su interior. Había tenido problemas con eso en el pasado y estaba intentando sobreponerse, esta vez, a esas tendencias. Para poder desafiar esos aspectos de sí mismo, tenía que hacerse responsable de sí mismo, pero en lugar de eso, se permitió volver a sus hábitos, sin pensar en el efecto que tendrían en los demás. Hay una gran diferencia entre una mente que dice: "Esto es lo que quiero hacer" y "Esto es lo que necesito hacer". Con frecuencia, lo que necesitamos hacer para llegar a ser un todo, iluminado y radiante, no es necesariamente lo que queremos hacer.

"Al llegar aquí, tu compañero tuvo tiempo de revalorizar su vida y sus tareas en la Tierra. Ha hecho algunos progresos. No obstante, permanece fijado en el hecho de no haber cumplido todo lo que originalmente intentaba hacer. Se encerró en sí mismo, dentro de las trampas de su mente terrena. Es incapaz de perdonarse por haber destruido tu vida así como la propia. Esta alma, como muchas que vienen aquí, se dio cuenta demasiado tarde de la importancia de cada día, cada momento, cada experiencia en la Tierra, como una oportunidad para comprender. Ahora desearía haber tenido tiempo de vivir con su corazón, en lugar de con su cabeza, de haber visto su riqueza en compasión, en lugar de en dólares.

"Tu compañero no puede encontrar ese amor dentro de sí y en especial no lo siente de tu parte. Tú no quieres perdonarlo.

Ésa es siempre tu elección. Pero entiende que tu negación de amor, no sólo evita tu progreso como ser espiritual pleno y realizado, sino también el del hombre que no puedes perdonar. Él necesita tu amor y comprensión para mostrarle el camino. Para poder curarse realmente, tu pareja tiene que perdonarse a sí mismo. Necesita ver que puedes perdonarlo, entonces podrá perdonarse. El perdón es el vehículo que se usa para corregir malentendidos y para ayudar a perder el miedo. El perdón es el amor en acción.

"Al sentarte aquí, sentiste que le habías fallado. Cuando hiciste un acuerdo en espíritu, tú prometiste que lo ayudarías a resistir la tentación de las trampas terrenales, pero sus recuerdos de lujuria y codicia lo alcanzaron y se sintió engañado. Tú no fallaste. Tú eres capaz de darle a ese hombre únicamente tanto amor como el que él sienta que es digno de recibir de ti. Ambos han trabajado en esto antes y lo volverán a hacer. Ustedes han progresado y llegarán más lejos, pero sólo a través del amor. Ahora debes liberarlo para sus propias divagaciones y creaciones. Al final, él comprenderá ese aspecto de su ser.

"Tus pesadillas han sido tu propia sensación de la culpa de tu marido, la negación y el odio por lo que causó. Son muchos los que vienen aquí y traen con ellos, innecesariamente, esas condiciones de la mente terrena. Intentan manejar cosas y gente aquí, como lo hacían en la Tierra, sólo para descubrir que no tienen efecto. Nadie puede controlar al otro. La única fuerza que es potente, es el poder del amor. Perdónalo, así podrá perdonarse. Bendiciones y paz, mi querida. Yo estoy siempre a tu lado."

El mensaje terminó y yo me volví hacia Susan y dejé escapar un gran suspiro. Nos despedimos con un abrazo y la promesa de mantenernos en contacto.

Puesta al día

El asesino de Bobby fue capturado. Dan, el otro amante de la mujer, fue encontrado en México, como Bobby transmitió en su mensaje a Susan. Susan recibió en su corazón las palabras de sabiduría de su guía. Perdonó a su marido y a sí misma y continúa con el proceso de expresar sus sentimientos. Ha comenzado a ver a sus amigos e incluso ha tenido un par de citas. Como me dijo en una conversación telefónica: "Mi vida está en orden por primera vez. Echo de menos a Bobby, pero también sé que estaremos juntos otra vez. Entre tanto, tengo mucho que agradecer y estoy muy contenta de saber que tengo un angel guardián que me ama tanto como para mantenerme en un sendero espiritual".

Cuando alguien es asesinado

Cuando alguien que se ama es insensatamente asesinado, los sobrevivientes, miembros de la familia y amigos, habitualmente están enojados, amargados y llenos de culpa, como estaba Susan. Todos esos sentimientos son parte del duelo. Son comprensibles. La ira se vuelve culpa, porque siempre son muchos los que creen que hay algo que hubieran podido hacer para evitar ese crimen. Si hay un juicio, entonces la pena se revive continuamente con la presentación de evidencias y las declaraciones de los testigos. Ése es un período espantoso en la vida de aquellos que están involucrados. Por un lado, uno quiere que el juicio termine, para poder tener una conclusión; pero por otra parte, uno quiere estar seguro de que se haga justicia y de que todo se haga como corresponde. No sólo el asesinato es perturbador, sino que, a menudo, los miembros de la familia y los amigos que quedan se sienten atormentados al pensar en los últimos minutos en la Tierra de esa persona querida.

Cuando alguien es echado súbitamente fuera de su cuerpo físico, como en el caso de una muerte violenta, el espíritu puede no saber por un tiempo que ha muerto. Tal vez deambule por el reino terrenal como si estuviera en un sueño. También puede agitarse e inquietarse al darse cuenta de que ya no vive en su cuerpo físico. Algunas veces, esas almas se quedan desorientadas y ligadas a la tierra. Sin embargo, una vez que el alma ha hecho el ajuste a nivel espiritual, un pariente o un espíritu guía está allí para asistirla. La comunicación que he tenido con víctimas de asesinato han sido una mezcla de confusión por un lado y preocupación por los vivos por el otro.

Hay muchas razones por las que ocurre un asesinato. Ante todo, puede ser consecuencia de una deuda kármica que debía ser pagada. En segundo lugar, la conciencia del asesino puede estar a un nivel tan bajo que no se produzca ningún conocimiento espiritual. Así que no piensa nada al cometer un asesinato. En tercer lugar, alguien puede escoger interferir deliberadamente con la dirección de la vida de otro y el asesinato es el resultado. Vivir el duelo por una persona asesinada puede ser un proceso muy difícil. Debes ser paciente, ya que te tomará un tiempo. Recuerda que el perdón puede ayudarte a pasar por tus propios sentimientos de dolor.

AMIGOS

Muchas veces oímos la frase: Nacemos dentro de una familia, pero a los amigos los elegimos nosotros. En realidad, elegimos tanto a la familia como a los amigos, por difícil que resulte creerlo. Todos han viajado por el mar del tiempo junto con nosotros. Hasta amigos a los que hemos conocido sólo parte de nuestras vidas, tal vez en la juventud y no vimos más, han estado antes con nosotros y probablemente volverán a estar. Los amigos, como la familia, son parte de nuestro grupo de almas y son verdaderamente espíritus semejantes. Nosotros contamos con nuestros amigos para tenerlos en las buenas y en las malas, y en especial cuando vivimos un duelo.

Un amigo es alguien en quien podemos confiar plenamente. Sabemos que él o ella se ocuparán y tendrán tiempo para escucharnos y ayudarnos. Un amigo nos dará ánimo y consejo cuando lo necesitemos. La amistad es efectivamente uno de los dones más valiosos de la vida.

Perder un amigo íntimo es como perder un brazo y nuestra desesperación puede cortar con más filo que un cuchillo. No estamos preparados para la muerte de un amigo, creemos que siempre estará a nuestro lado. Así que, cuando un amigo muere, es como si nuestra línea de la vida se hubiera borrado. Reflexionamos sobre nuestra existencia. Nos demoramos en recuerdos del pasado. Nos preguntamos cómo será nuestro futuro sin la presencia de nuestro amigo. La muerte de un amigo puede ser tan impensable que de inmediato comenzamos a revalorizar nuestra vida y nuestra propia mortalidad. Recuerden que hemos elegido aprender de la relación con nuestros amigos. En especial, hemos tenido muchas oportunidades para amar y ayudar a causa de ello.

Yo perdí un buen amigo hace un tiempo, y fue un verdadero golpe para mí. No podía creer que se hubiera ido. Habíamos compartido tantas experiencias que yo creía que nuestra amistad iba a durar para siempre. Cuando se enfermó, yo estaba destrozado, pero me quedé a su lado hasta el final. Muy poco después, volvió a mí en espíritu. Me sentí consolado al saber que no estaba perdido y que todo estaba bien. Creo que todos queremos saber que nuestros amigos todavía están bien, donde quiera que estén.

Lo que voy a contar a continuación ocurrió en un vuelo de Nueva York a Los Angeles. Se refiere al verdadero significado de la amistad. Me acababa de ubicar en mi asiento y miré a la persona sentada a mi lado. Era una señora de unos cincuenta años, con fulgurante cabello rojizo y un rostro muy bien maquillado. Hizo un gesto de saludo y se presentó como Ruby.

—¿Usted es el hombre que habla en televisión con los muertos?

—Sí —contesté.

Ruby dijo algo sobre una persona llamada Lillie, que me había puesto en el asiento al lado de ella. No muy seguro de lo que quería decir, le sonreí.

—Regreso a casa después del funeral de Lillie. Era mi mejor amiga.

Me resigné a escuchar a Rudy, pues sentí que necesitaba hablar. No tenía idea de que ésas iban a ser las cinco mejores horas que hubiera pasado en un avión.

Ruby me contó cómo se habían conocido ella y su amiga Lillie, treinta años atrás. Ése fue el comienzo de una larga y hermosa amistad entre las dos.

—A las dos nos gustaba coser —contó Ruby—. Lillie hacía muñecas y yo la ayudaba con los vestidos. Hicimos cerca de doscientas muñecas para regalarlas a las niñitas de los hospitales. Lillie decía con frecuencia que las muñecas alegrarían a las nenas y las ayudarían a mejorarse.

Rudy decía que ella y Lillie eran inseparables y la gente creía que eran hermanas. Se casaron con un mes de diferencia, cada una con un hombre llamado Paul. Me contó cómo se ayudaban una a la otra en los momentos difíciles y compartían la alegría en los buenos momentos.

—Yo estaba allí —continuó diciendo— cuando le diagnosticaron leucemia y lloramos juntas. Esperé contra toda esperanza que pudiera superarlo, pero las dos sabíamos que no sería así. Yo estuve todos los días en el hospital, para sostenerla, antes de que muriera.

—¿Cómo seguirá por la vida sin su amiga? —pregunté.

Y Rudy me respondió con firmeza.

—Voy a hacer algo que pienso que a Lillie le habría gustado. Voy a reparar todas esas muñecas viejas que hicimos hace mucho y se las regalaré a los niños que las necesiten.

Luego, también me dijo:

—Suelo soñar con Lillie. También la siento alrededor. Le pido consejo cuando lo necesito. Es tranquilizador saber que puedo estar con ella de esa forma, pero igual extraño no poder verla en carne y hueso.

El avión aterrizó y dije adiós a Rudy, deseándole buena suerte. Pensé: "Qué hermoso lo que Rudy hará en memoria de su amiga".

Me quedé en mi asiento, mientras los demás se apresuraban en salir. Cuando me di cuenta de que era el último, tomé mi bolso y caminé hacia la parte delantera del avión. Mientras iba pasando por las filas, pude ver en el piso, ferente a un asiento, a una pequeña muñeca olvidada probablemente por su dueña. Pensando que era una extraña coincidencia, la levanté y la observé. Dejé escapar un jadeo. Se le habían perdido los ojos, pero la sonrisa estaba intacta. Levanté la vista. Supe que acababa de recibir un regalo de un espíritu y me pregunté si sería el de Lillie. Era un amable recuerdo del duradero amor de dos amigas.

Pautas para la curación

  ❧ Permitirse pasar por todo el proceso del duelo.

  ❧ Comunicar tus sentimientos a tus amigos y a otros miembros de tu familia. No ocultes nunca tus sentimientos, pensando que tienes que controlarte. Si te resulta difícil hablar con la gente que conoces, tal vez un terapeuta o un grupo de apoyo sea la mejor salida para expresar tus sentimientos y pensamientos íntimos.

§ Vive un día por vez. No sientas que debes realizar todo al mismo tiempo, incluyendo las tareas del hogar. Pide ayuda a un amigo para manejar las tareas prácticas. Cosas simples —como pagar cuentas, hacer arreglos en la casa y comprar alimentos— pueden resultar abrumadoras. No tengas miedo de pedir ayuda.

§ Debes ser paciente y amable contigo mismo. Tu pena será intermitente. Algunos días te sentirás bien, otros te quedarás sentado mirando al vacío, sintiéndote confundido y solo.

§ Es normal que, en ocasiones, tengas ataques de furia. Déjala salir, pero no te lastimes, ni lastimes a nadie.

§ Si tus hijos son jóvenes, háblales sobre la pérdida. Ellos también sufren y tienen pena. Anímalos a manifestar sus sentimientos. Que sepan que no están solos, que están juntos en eso y juntos lo pasarán. Asegúrales que estarás con ellos y no te irás.

§ Deja que tus hijos te consuelen si deciden hacerlo. Ésa puede ser una forma maravillosa de curarse todos.

§ Con el paso del tiempo, empéñate en mantener contacto con la gente. No te aisles. Puedes ir a cenar o al cine con amigos.

§ Ocúpate de ti mismo. Eso puede ser paseando por tu jardín o comprando algunas plantas para tu casa.

§ Tal vez quieras conseguir una mascota. A menudo, cuando nos preocupamos por otros, incluyendo las mascotas, no nos quedamos en el pasado. Las mascotas son una compañía perfecta y te consolarán con un amor incondicional.

§ Comienza un diario y escribe sobre la persona amada, sea tu pareja o tu amigo. Puedes querer recordar ciertos acontecimientos que eran significativos o escribir sobre tus sentimientos día por día.

§ Acéptate a ti mismo y lo que has pasado. Evalúa tus fortalezas y tus debilidades. ¿Tus experiencias pueden ayudar a otros? Con el tiempo, quizás quieras comunicarte y ayudar a otros en su proceso de vivir el duelo.

§ No te arrojes a otras relaciones de manera prematura. Ésa podría ser tu forma de tapar tu pena y tu angustia. Date espacio. Cuando estés listo, lo sabrás.

§ Contempla esta experiencia como una oportunidad para abrirte a tu vida espiritual.

§ Deja abierta la puerta para amar otra vez. No estás hiriendo ni traicionando a nadie. Tu pareja está en espíritu. Él o ella solo desearán tu completa felicidad.

5

Demasiado joven para morir

Cada uno de nosotros vuelve a las orillas de esta tierra por un propósito bien distinto. Cuando ese propósito se cumple, nos vamos. Algunos estamos aquí para experimentar una larga vida, mientras que otras almas necesitan sólo una breve experiencia, antes de regresar a sus hogares espirituales en el cielo. La elección se hace antes de encarnar en nuestros cuerpos físicos. Cuando podemos mirar a la vida desde esa perspectiva y reconocer que tiempo y espacio son dimensiones terrenas y que nosotros somos seres eternos, comenzamos a comprender la naturaleza de la vida y la muerte con una luz mucho más clara.

La muerte de un hijo es, tal vez, la máxima pérdida que puede soportar una persona. ¿Cómo puede alguien estar preparado para el golpe de perder un hijo o una hija, o un nieto o una nieta? Pregunten a cualquier progenitor, y probablemente dirá: "Nunca podría sobrevivirlo", o "Nunca seré el mismo", o "Quedaré totalmente destruido por el resto de mi vida". Nada puede acercarse a la indescriptible pena que uno experimenta ante la muerte de un hijo o a la desesperación que produce. Y aunque los padres habitualmente sobreviven, la pérdida los cambia para siempre.

Cuando un hijo muere, los padres deben enfrentar lo incomprensible: "Mi hijo no debía morir antes que yo". Sufren una culpa enorme, porque se sienten de alguna forma, responsables por la muerte. "¿Qué pude hacer para prevenir esto?" Se sienten sin valor, inútiles y sin poder, porque creen que fallaron en sus obligaciones como padres. En lugar de verse como padres, se convierten en padres de su hijo muerto. Para esos padres no hay pensamientos razonables. No importa la cantidad de protección o cuidado le den a un hijo, el padre o la madre siempre se sienten responsables de alguna forma. Además del sentimiento de que un hijo murió antes de él o ella, la muerte siempre parece anormal y por último, los padres creen que por alguna razón son culpables.

LA CONEXIÓN PADRES-HIJOS

La relación de hijos y padres es mucho más íntima que cualquier otra relación. Un hijo es la completa expresión del amor de los padres. Nuestros hijos nacieron como extensiones de nosotros mismos. Los padres novatos se preparan para la llegada de su bebé, cuidando la salud y el crecimiento en el útero y acompañando a la nueva vida en su ingreso en el mundo. Nos volvemos ojos vigilantes, cubriendo o protegiendo al hijo de cualquier cosa que lo pueda amenazar o sea un daño en potencia. Confiamos en que nuestros hijos se prolongarán en futuras generaciones, mucho después de que nosotros nos hayamos ido; nos dan esperanza de inmortalidad.

La conexión padres-hijos tiene tantos hilos en tantos niveles, que los lazos van más allá de la comprensión biológica, emocional y mental. Después de todo, esta conexión se origina en el nivel del alma, punto en el cual cada uno toma la decisión de estar con el otro. Por lo tanto, hay un acuerdo arreglado de antemano entre el alma que está por llegar y los padres. Sobre la base de mi experiencia, he encontrado que la mayoría de esos acuerdos involucran mucha necesidad de crecimiento en las áreas de egoísmo y autoindulgencia. A veces un hijo está ayudando a los padres a aprender a amar no importa cómo sea. A veces uno de los padres decide pasar por cierta situación, como por ejemplo la muerte de un hijo, para luego poder ayudar a otra persona. Cualquiera que sea la razón, las experiencias son todas lecciones de la naturaleza del alma.

Como ya indiqué en mis libros *Hablando con el Cielo* y *Alcanzando el Cielo*, cada uno de nosotros está en una travesía espiritual. Somos destellos individuales de luz, una parte de la única gran luz o la energía de la fuerza de Dios. Cada alma tiene su sendero individual para seguir, en el cual aprenderá sobre su ser divino. Por lo tanto, cuando un niño deja el mundo físico prematuramente, es una decisión del alma. Algunas veces un alma ni siquiera completará el proceso entero de nacimiento. Muchas veces las almas se van en formas horribles e inexplicables. El punto importante que hay que recordar es que no hay muerte. Los padres volverán a estar otra vez con sus hijos, como ya lo han hecho en muchas vidas anteriores. Recuerden que el espíritu de un niño está vivo en un mundo espiritual mental y está siempre consciente de los pensamientos y sentimientos de sus padres.

MUERTE PRENATAL

En un nivel físico, el embarazo de una mujer representa una esperanza y un sueño. Ella se fusiona con su pareja para crear una nueva vida. Una madre embarazada siente un lazo especial con su hijo no nacido aún que sólo ella conoce. Aunque el padre también está conectado con la nueva vida, en realidad, es la madre la que tiene un vínculo único con esa nueva vida en formación. Todo lo que la madre siente, piensa, dice y sueña, de alguna manera se comunica, en un nivel espiritual, al ser que está creciendo en su interior. Una madre embarazada tiene tan grandes esperanzas como enormes preocupaciones por su hijo aún no nacido.

Cuando ocurre una muerte antes del nacimiento, como cuando hay una pérdida, la que iba a ser madre se siente no só-lo estafada en su sueño, sino también culpable, como si fuera directamente responsable por la muerte. Después de todo, el bebé murió dentro de su cuerpo y se culpa por no haber sido un lugar seguro para su hijo aún sin nacer. Su duelo puede involucrar un exceso de autocrítica y profundos remordimientos. En los casos más graves de muertes prenatales, algunas mujeres llegan a sentirse incluso como asesinas. Al menos, una mujer siente un inimaginable conflicto interno, confusión y una tremenda pena. Por supuesto que el padre también se siente perturbado. Se culpa por no haber cuidado, de alguna forma, a la madre y al bebé.

Cuando un bebé muere prematuramente, los padres sienten que les han negado el privilegio de criar un hijo y tener un heredero. Y sumado a la tragedia de la situación, los padres tienen que enfrentarse a la confusión de sus familiares y amigos. Muy a menudo los que rodean a los padres piensan que una pérdida así es inmaterial, porque el bebé nunca nació y, por consiguiente, es una vida que nunca se vivió. Incluso la comunidad médica insensiblemente descarta con demasiada rapidez una muerte prenatal. Es muy insensible decirle a una futura madre que una parte de ella está muerta, pero que no tiene importancia, que podrá intentarlo de nuevo. Creo que necesitamos reconocer que cualquier muerte prenatal es en extremo penosa para los padres.

En muchos casos, el trauma del aborto o las complicaciones prenatales que terminan en muerte, afectan la confianza de la mujer sobre futuros embarazos. No necesariamente confiará en sí misma para poder llevar a cabo otro embarazo en forma competente. La preocupación de perder de nuevo un bebé la hace vulnerable. Por fortuna, la mujer puede llegar a una comprensión y aceptación total de la situación. Tiene que sentirse saludable y segura en la parte física, así como en la parte emocional, antes de asumir otra vez la experiencia.

Desde un punto de vista espiritual, me han dicho que no es sólo una lección para la madre, sino que también puede ser una forma de la naturaleza para crear energía más estable en el cuerpo de la mujer, en un nivel espiritual o etérico.

En el caso de cualquier muerte prenatal, los padres deben reconocer primero que están viviendo un duelo. Los sentimientos de conmoción y culpa de los padres pueden durar más de lo que se anticipaba o esperaba. Quizá piensen que no merecen ser padres y la experiencia puede atemorizarlos para tener hijos en el futuro.

Por otra parte, el aborto trae su propio conjunto de odio social y problemas políticos que se suman a la culpa y los remordimientos que siente la mujer. Para mí, un pronunciamiento político sobre el aborto es completamente irrelevante. Es un asunto espiritual. La mujer tiene los mismos sentimientos con respecto a un aborto que los que tiene sobre la pérdida, sumada además la autocondenación. El hecho de que haya en muchos un fuerte deseo de calificarla de asesina, sólo agrega sal a la herida. Con frecuencia, la mujer puede no darse cuenta de que está viviendo un duelo. De acuerdo con sus propias creencias, la pérdida puede arrojarla a una depresión que dura años.

Cualquiera que fuese la razón para hacer un aborto, la lección es siempre sobre el amor, la aceptación y la autovaloración de la mujer.

No puedo decirles la cantidad de espíritus que han comunicado que un alma no se destruye por un aborto, porque no habita por completo en el embrión en formación. El alma sabe que se producirá el aborto y, cuando ocurre, regresa a los niveles espirituales más altos, para prepararse para el próximo vehículo disponible, uno más conveniente para llevarlos hasta la vida.

Estuve con muchas mujeres que vivían con vergüenza, sacrificio y temor, a causa del estigma social del aborto. En algunos casos, sus vidas fueron literalmente arruinadas. Cada vez que una mujer pasa por un aborto, sea que lo admita o no, vive la pena de una pérdida. Yo siempre recomiendo que busquen consejo adecuado, para poder discutir sus sentimientos en un lugar seguro. Hay mujeres que sufren una vida, incluso muchas vidas, de dolor y no debería ser así. En lugar de condenar a las mujeres, tal vez la sociedad pudiera ayudarlas a comprender la responsabilidad de traer una vida al mundo. También debemos darnos cuenta de que Dios no comete errores. Cada experiencia tiene un motivo y todas las experiencias son para nuestro crecimiento espiritual.

SÍNDROME DE LA MUERTE SÚBITA INFANTIL (SIDS)

Otro tipo de muerte prematura de una criatura es el SIDS, también conocido como muerte en la cuna, que ocurre durante el primer año de vida. Por desgracia, no hay signos que nos avisen de esta tragedia. Sólo en los Estados Unidos, el SIDS es la causa de ocho a diez mil muertes por año. Se sabe que la mayoría de esas muertes ocurren entre la medianoche y las nueve de la mañana y una razón posible para la muerte es la posición física del bebé. Hasta ahora la ciencia médica ha revelado muy poco para ayudar a comprender el SIDS.

Cuando tenía diez años, la mamá de Scott, mi mejor amigo, estaba embarazada. En esa época, Connie era la primera señora embarazada que yo veía. Una tarde, Scott y yo habíamos ter-

minado nuestra práctica habitual de pelota y estábamos esperando en un puente a que los padres de Scott pasaran a buscar-
nos. Cuando llegaron en su viejo Buick, tuve una de mis experiencias intuitivas. Desde donde estaba, podía ver a través de la
ventanilla hasta el asiento delantero. Recuerdo perfectamente
que miré su panza de embarazada. Recuerdo desde ese día el
vestido estampado como piel de leopardo que llevaba. Cuando
miré su panza, tuve una sensación extraña y nauseabunda que
me hizo pensar que algo no andaba bien allí.

Un mes más tarde, el bebé nació saludable y normal. Para
entonces yo había olvidado lo que había sentido ese día. Sin
embargo, dos semanas después del nacimiento, llamé a Scott y
su padre atendió el teléfono. Me dijo: "El bebé murió". Muy
conmocionado, dejé el teléfono y me puse a llorar. Ésa era la
primera vez que oía sobre la muerte de un bebé. Para mí era
algo incomprensible. Entonces tuve otra vez esa sensación desagradable. En lo más íntimo, confié en no haber sido la causa
de algo. Le pregunté a mi madre si podía ir a la casa de Scott,
para ayudarlos, pero me respondió: "Ahora no es el momento".
Recuerdo que me fui al fondo y miré por la cerca a la casa de
Scott. Una camioneta negra estaba estacionada enfrente, con
un cartel que decía Morgue de la Ciudad. Sabía que estaba allí
para llevarse al cuerpo del bebé muerto y salí corriendo hacia
mi habitación y me tiré en la cama a llorar.

Cuando vi a la madre de Scott, varios días después, tenía
un aspecto espantoso. Me di cuenta de que había estado llorando y, de alguna extraña manera, supe que se culpaba por la
muerte del bebé. No pude contarle lo que había sentido ese día
de la práctica de pelota. Ni yo mismo lo entendía. Me sentí
agradecido por las palabras de confianza de mi madre: "Está en
las manos de Dios".

Cuando una criatura muere en los primeros meses de vida,
el lazo que se ha formado entre los padres y el hijo se corta

súbitamente. Si la criatura muere en el hospital, los padres deben regresar a la casa y enfrentar el cuarto vacío del bebé. En el caso del SIDS, la criatura está en casa al morir y los padres enfrentan solos la muerte del hijo. No hay avisos. En un momento, el bebé está lleno de vida y al siguiente, ya no se mueve. La impresión y la incredulidad son enormes. Algunas veces, esa situación hace que los padres nieguen que el bebé realmente haya muerto. Buscan con desesperación una respuesta, una razón para la muerte del bebé y no pueden encontrar nada. Además de tener que enfrentar interrogatorios de los médicos y otras personas, sobre la causa de la muerte, los padres se preguntan continuamente: "¿Qué es lo que hice mal? ¿Qué hubiera podido hacer para evitarlo?". Después del funeral, los padres deben enfrentar la tarea final de sacar la ropa, los juguetes, la mamadera y otras pertenencias del bebé. Se apoderan de ellos sentimientos de vacío y soledad, en especial para la madre. Al mirar a otras mujeres embarazadas o a madres con sus bebés, se revive la pérdida una y otra vez, sin que puedan hacer nada por impedirlo. Esos sentimientos llegan a repetirse muchos años después de la muerte del bebé.

Sufrir la pérdida

Los padres que sufren la pérdida de un hijo son muy diferentes a otras personas que sufren pérdidas. La muerte del hijo representa una pérdida en muchos niveles, incluyendo la pérdida de los sueños y aspiraciones para ese hijo. Cuando muere un hijo, esas metas y deseos caen en un hueco sin fondo de promesas vacías y propósitos muertos. Con posterioridad, los padres viven sus vidas con una cantidad de "pudo tener" y "qué hubiera ocurrido si". Aunque pasen por todo el proceso de vivir el duelo y comiencen a curar sus heridas, el hueco nunca se cierra por completo.

Una gran cantidad de padres que vienen a verme están enojados con Dios por haberles quitado el hijo. Consideran la muerte como una forma de castigo y se preguntan cómo pudo hacer eso un Dios amante. Los he oído maldecir a Dios y al universo. Lo único que puedo compartir y expresar a los padres, es lo que aprendí a través de mi trabajo en el mundo espiritual y eso es que no existe un dios vengador o que castigue.

Cada uno de los padres debe comenzar el camino de la curación, atravesando las etapas del proceso del duelo, comenzando con la conmoción, la negación y la furia. A menudo los padres están enojados con todos, incluyendo amigos, familia y la comunidad médica. Miran a los hijos de los demás y no pueden entender por qué esos hijos todavía viven y los de ellos no. Un día sienten que pueden hacer algo, y al siguiente entran en la más profunda desesperación. Muchos padres que viven el duelo tratan de apresurar el proceso, creyendo que así no sufrirán tanto, pero sólo están prolongando la agonía y el sufrimiento.

Sufrir la pérdida de un hijo es un proceso desgarrador. La paciencia es lo esencial. Tienes que usar todo el tiempo que sea necesario. No hay un límite de tiempo a seguir, ni almanaque para ayudar a marcar el dolor. Cada uno se cura en forma diferente y a un ritmo distinto. Parte de esa curación depende de tres cosas: primero la relación de los padres con su hijo; segundo, el estado de salud mental y física de los padres; y tercero, el sistema de apoyo de los parientes, amigos, vecinos y otras personas.

Cuando un hijo muere, lo más duro para los padres es tener que hablar de ello, pero es importante que lo hagan para expresar sus sentimientos. El padre en especial, puede tener la mayor dificultad para hablar de su experiencia e incluso a veces no muestra ninguna sensación de pérdida. También él necesita que lo animen a expresar sus sentimientos. Si los sentimientos de los padres se entierran y reprimen por un período largo, los resultados suelen llevar a una ruptura del matrimonio y a otras formas enfermizas del dolor no expresado.

En su momento, cada uno de los padres puede reconocer que la intensidad de la muerte del hijo puede aquietarse. Sin embargo, no importa lo ocupados que se mantengan, los padres nunca pueden vencer a la muerte, más bien encuentran modos de sobrevivirla. Las siguientes historias son de padres cuyos hijos murieron. Con sus propias palabras, describieron su dolor personal, mostrando cómo los sueños que tenían para sus hijos terminaron de una forma penosa. Algunos continuaron con sus vidas y ayudaron a otros en la misma situación. Otros profundizaron en ellos mismos y encontraron una fuerza espiritual interior que nunca imaginaron tener. Esos padres cuentan que ahora tienen una conexión más fuerte con la fuente Universal y cómo la relación con sus hijos les dio la oportunidad para aprender sobre el amor. He escogido esos casos individuales para demostrar que aún en la peor de las tragedias, uno puede encontrar una oportunidad para un increible crecimiento. Mi más profundo deseo es que los padres sientan una pizca de serenidad en medio de su dolor y sepan que sus vidas fueron bendecidas por el alma hermosa que era su hijo o hija durante el tiempo que habitó en la Tierra.

NO HAY ACCIDENTES

La historia siguiente es la de una mujer muy bella llamada Joerdie, cuyo hijo murió en una explosión y posterior incendio en su propia casa. Joerdie y su marido Eric asistieron a una de mis demostraciones a bordo de un crucero que el doctor Brian

Weiss y yo realizamos en el Mediterráneo, varios años atrás. Ésta es su descripción de lo que ella y su familia soportaron:

Casi no puedo recordar cómo era la vida antes del 17 de diciembre de 1997. Me parece que la vida antes era borrosa y ahora es más clara y llena de luz y amor. La súbita muerte de nuestro hijo cambió las vidas de mucha gente: la de su padre y la mía, la de su hermano, la de su esposa y su hija y la de otros que lo querían y también la de otros que nunca lo conocieron. Cuando Ian pasó al mundo espiritual, nos abrió las puertas para descubrir y experimentar la vida eterna del espíritu. Nos ayudó a recordar que somos efectivamente seres espirituales que tenemos una experiencia humana.

La noche antes de que Ian muriera, una gran amiga mía se me apareció en un sueño. Estaba toda vestida de blanco y me dijo que meditara en tres cosas al despertar: (1) La muerte nunca es un accidente; (2) No hay coincidencias; (3) Sólo el amor es real. A la mañana siguiente, le conté a mi marido sobre el sueño y lo tranquila que había dormido. Y fue esa misma noche cuando el médico de la sala de emergencias nos dijo que las heridas de Ian no le habían permitido vivir. Entonces supe que Ian no se había ido realmente. En lugar de eso, sentí que el espíritu de Ian había sido liberado en un lugar de amor y paz. Supe que estaba mejor de lo que había estado desde que viniera a esta encarnación.

El día después de la explosión y el incendio que le quitó la vida a Ian, mi hijo menor Scott dijo que sentía que nuestro estudio de los libros y las cintas del doctor Brian Weiss era la forma en que el universo nos ayudaba a prepararnos para la muerte de Ian. Desgraciadamente, Eric no tuvo esa ventaja. Un par de semanas antes, Scott y yo habíamos visto a James Van Praagh en el Show de Larry King y yo había encargado su libro *Hablando con el Cielo*. Ese libro nos esperaba cuando regresamos del servicio fúnebre de Ian. Para mí ése fue otro regalo del universo. Scott y yo leímos y releímos el libro, tanto nos ayudaba la información sobre la curación. Confiaba en que mi marido quisiera leerlo también y me sentí muy feliz cuando lo hizo. Fue el comienzo de su despertar espiritual.

Cuando descubrimos que James y el doctor Brian Weiss iban a hacer un taller a bordo de un crucero por el Mediterráneo, Eric y yo decidimos participar. Fue un viaje que nos cambió la vida.

Antes de comenzar el taller de James, sucedió algo curioso. Yo estaba sentada en el auditorio junto con cientos de personas. Miré para abajo y encontré una foto de Ian en mi falda. Estaba en mi billetera, pero no recordaba haber sacado la billetera de mi bolso. Era una foto de colegio, de cuando Ian iba a la primaria. Tenía puesta una remera con un agujero. Me acuerdo que le había preguntado a Ian, tantos años atrás: "¿Cómo no te pusiste una remera mejor para la foto del colegio?". Nadie en el barco, salvo Eric y yo, habíamos visto esa foto.

Durante el taller, escuchamos a James hablar sobre la vida después de la muerte y supe que estábamos en el lugar indicado. Luego James comenzó sus sesiones con el espíritu. Estábamos muchas filas atrás en un gran auditorio lleno de cientos de personas y James transmitió muchos mensajes para la gente que estaba allí. Entonces dijo algo totalmente sorprendente.

—Aquí tengo a un joven que me está mostrando una remera con un agujero. ¿Eso tiene sentido para alguno de los presentes?

Al principio no supe qué hacer. Luego me puse de pie. Pensé para mis adentros: "Ahora entiendo por qué usaba esa vieja remera".

James se aproximó por el pasillo hacia nosotros.

—Este joven me entrega un collar de perlas. ¿Lo comprenden?

No podía creer lo que él estaba diciendo y sin embargo lo entendía por completo. En un sueño, la noche anterior, Ian se me acercaba y me decía que me regalaba perlas de sabiduría para hacerme un hermoso collar. Esa misma mañana lo había anotado en mi diario.

—¿Es éste su hijo?

Hice un gesto de asentimiento y las lágrimas comenzaron a brotar de mis ojos.

—Su hijo me está mostrando notas, notas musicales y una guitarra. Está tocando una guitarra.

—Sí —respondí. Ian había tocado la guitarra en una banda, durante años.

James continuó.

—Siento que la muerte de su hijo fue súbita. Hay una explosión y luego un incendio —hizo una pausa por un momento—. Me está diciendo que tenía miedo de morir en un incendio.

—Ian siempre tuvo un miedo terrible a la muerte en un incendio —expliqué a James.

—Su hijo tenía poderes psíquicos. Tuvo una premonición de su muerte. —Entonces James agregó: —Debo decir que Ian era un diablo y un ángel.

Y Ian ciertamente lo era.

James pareció escuchar en el silencio de la sala antes de hablar otra vez.

—Me está diciendo que tuvo que dejar esta vida antes, para su crecimiento espiritual y su evolución. ¿Entiende lo que significa?

Asentí.

—También me dice que usted es médium y puede contactarse con el mundo espiritual por usted misma. Está diciendo que usted tiene que prestar más atención y escuchar.

James compartía gran cantidad de información que solamente Ian podía haberle dado, pero esta última frase llegó como una total sorpresa. Había estado soñando con Ian y había hablado con él en mis sueños, pero nunca pensé que yo fuera una médium. Entonces James dijo:

—Su hijo está muy feliz y sereno, y quiere que usted también vuelva a ser feliz. Está diciendo: ¡Desearía que pudieras ver lo hermoso que es en donde estoy ahora!

Dos noches después de la lectura de James, comencé a recibir mensajes de Ian y de un hombre llamado Glenn, quien me dijo que había muerto una semana después de Ian. Yo no conocía a Glenn, pero acababa de conocer a su hermana Joan a bordo del crucero. Joan me dijo que pensaba que Glenn y Ian parecían haber sido amigos y confirmó toda la información que Glenn me daba. Nos dimos cuenta de que Ian y Glenn eran buenos amigos en el mundo espiritual y habían pasado muchas vidas juntos. Desde entonces, Ian y Glenn comenzaron a visitarme con regularidad.

Esas palabras curativas de nuestro hijo a través de James, nos dieron a Eric y a mí una sensación de calma y renovación. Nuestras vidas cambiaron para siempre. Fuimos capaces de ver lo que anteriormente parecían problemas, como oportunidades para el desarrollo espiritual. Mi marido comenzó a tomar su práctica de la medicina y todos los aspectos de su vida en una forma más espiritual. Ahora podemos considerar la muerte de Ian como un don maravilloso. Al aprender a no temer a la muerte, ya no tememos a la vida. La ilusión de tener control sobre las circunstancias dio paso al amor y a la sabiduría del universo. Estar en contacto con la chispa de Dios en nuestro interior nos ayudó a ayudar a los demás y esa ayuda se ha transmitido a incluso más gente. Por supuesto, extrañamos a nuestro hijo Ian, pero su espíritu está con nosotros todo el tiempo. Podemos hablar con él cada vez que lo necesitamos por una línea abierta.

Puesta al día

Joerdie me dijo: "Antes de la muerte de Ian, se podría decir que yo vivía una vida ignorante. Me preocupaba por todo y hacía juicios sobre la gente y las situaciones. Siempre tenía miedo de no tener suficiente. Vivía de memoria y no era muy sensible para lo que era realmente importante". Después de la muerte de su hijo y a través del proceso de su duelo, Joerdie cambió su perspectiva de la vida. Como ella dice: "Ahora tengo una relación con Dios que está basada en la comprensión y el amor incondicional por todo lo de la vida. Mientras más cosas me revela el universo con respecto a nuestras vidas pasadas, más sentido tiene para mí esta vida presente. Descubrí, a través de mi comunicación con Ian, que él se había suicidado en su vida inmediatamente anterior y había regresado a ésta para completar el resto de ese tiempo de vida. Ian había escrito sobre el suicidio, cuando tenía quince años, que era la edad en que se suicidó en su vida pasada. Dijo que habían abusado sexualmente de él y no lo pudo soportar. El día después de su muerte, me enteré de que habían abusado sexualmente de él en esta vida. Me sentí golpeada y furiosa. Pero Ian fue capaz de convertir esa experiencia en esta vida para tener compasión por los chicos y adultos sin hogar". Joerdie terminó su conversación agregando que sigue aprendiendo de su hijo en espíritu. "Siempre me enseña sobre el amor y la compasión."

UNA LLAMADA TELEFÓNICA AL CIELO

He visto el trauma y la devastación de la muerte de un hijo en los padres, pero la pérdida también tiene un efecto perturbador en la familia entera, como verán a continuación en esta trágica historia. Por fortuna para Bill y Donna y sus hijos Ryan y Keri, la tragedia de la muerte del joven Chris los unió aún más. La dolorosa y conmovedora narración de Donna sobre su experiencia ha ayudado a otros a enfrentar la misma angustia.

Nuestra pesadilla comenzó cuando mi esposo Bill y yo fuimos sobresaltados por el timbre de la puerta a las cuatro de la mañana. Saltamos de la cama, con el corazón palpitante, mientras nos dirigíamos hacia la puerta. Cuando la abrimos, experimentamos la pesadilla de todos los padres. Dos policías de rostro sombrío estaban en la entrada. Supimos que las noticias no eran buenas. Se me aflojaron las piernas, mientras ellos nos informaban que nuestro hijo Christopher había tenido un grave accidente de automóvil, a una cuadra de nuestra casa. Creían que se había quedado dormido sobre el volante, se había salido del camino y chocado contra un árbol. La ambulancia lo había llevado a la sala de emergencias de nuestro hospital local. Mi mente era un remolino y me dolía el estómago, mientras me apresuraba a vestirme. Antes de salir corriendo de la casa, busqué instintivamente el rosario, que estaba en mi mesa de luz. En el coche comencé a rezar. "¿Oh, Dios, cómo pudo suceder esto? Por favor cuida a mi hijo. Por favor, no lo dejes morir, no a mi bebé. Jesús, ayúdalo." Bill pensaba que iba a estar bien. "Después de todo —dijo— suceden accidentes todo el tiempo y la mayoría de la gente sale bien." No sé cómo hacía Bill para conducir, parecía perplejo.

Especulamos sobre lo que podría haber sucedido. Chris y algunos de sus amigos habían ido a la Montaña Mágica el día anterior, para celebrar la graduación de la secundaria, que tendría lugar la semana siguiente. Había llegado a casa a la hora de cenar y nos había contado lo mucho que se habían divertido y algunos de los incidentes graciosos. Fue un día agotador, pero Chris siempre estaba lleno de energía y dispuesto a salir, así que no me sorprendió cuando nos dijo que iba a casa de un amigo, que saldría un rato después de cenar. Las últimas pala-

bras que le dije fueron: "No vuelvas tarde, mañana tienes que
ir a la escuela". Nos besó para despedirse, como siempre lo
hacía y nos dijo: "Lo sé. No te preocupes". Estábamos bien
seguros de que debió tomar un par de cervezas en lo de su
amigo y, por la hora, lo sucedido podía haber sido una mezcla
de alcohol y fatiga, que hizo que se quedara dormido al
volante. También nos parecía que la neblina de la madrugada
podía haber contribuido a adormecerlo.

Estaba tan cerca de casa, sólo a una cuadra había dicho el
policía. Si se hubiera quedado despierto unos minutos más.
Casi nunca volvía a casa a esa hora de la madrugada, porque
sabía que tendría problemas. Me reprendí por no haberme le-
vantado cuando no llegó a medianoche, y haberlo buscado. Él
nunca dejaba de devolver mis llamadas.

Entramos corriendo en el hospital, aterrados, y nos dijeron
que los médicos estaban atendiendo a Chris y muy pronto
hablarían con nosotros. Así empezamos la agonía de la espera.
La realidad comenzaba a hacerse evidente; rezamos como no lo
habíamos hecho nunca. No sé cuántas veces repetí el rosario.
Hasta que finalmente apareció el médico. Su rostro estaba páli-
do y parecía agotado. Supe lo que iba a decir antes de que
hablara. "Chris tuvo un estallido terrible en su cabeza. Había
heridas en el pecho y no pudimos detener la hemorragia. Él
luchó mucho. Nosotros luchamos mucho." Pero a pesar de eso
nuestro hijo no lo logró. "Lo siento mucho", dijo el médico.
Nunca olvidaría esas palabras. El dolor de ese momento fue
indescriptible. Al recordarlo ahora, no puedo creer como no
haya caído muerta en ese momento. Bill y yo nos abrazamos en
estado de shock. Entonces el médico nos preguntó si
queríamos ver a nuestro hijo. Bill dijo que no creía que pudiera
hacerlo, pero yo dije con énfasis que sí. Yo estaba cuando Chris
llegó a este mundo y necesitaba estar con él cuando lo dejara.
Había oído que nuestro cerebro libera una sustancia en los

momentos de gran estrés, para anestesiar nuestras emociones y protegernos del dolor. Bueno, esa sustancia, era evidente, estaba actuando y me sentí como una zombie caminando por un mundo que se había detenido. Me senté al lado del cuerpo de mi hijo, sosteniendo su mano y acariciando su hermoso rostro, un rostro que sabía no volvería a ver en esta vida. Pensé en el día que había nacido y que ya no había futuro para él. Siempre tendría dieciocho años en mi mente. Quería guardar cada detalle de su cara, de sus manos, de su pecho, de sus pies, no fuera a ser que los olvidara. Contemplé su diente torcido y pensé en el aparato que habíamos encargado. Miré el pequeño lunar que tenía encima de la ceja, él quería que se lo sacaran. ¿Cómo podía ser que su vida hubiera terminado?

Bill cambió de idea y entró en la sala. Nunca lo había visto tan angustiado. Su rostro era casi irreconocible para mí. Permaneció allí en un estado de trance. Chris y él eran muy compañeros y se parecían tanto, que no supe cómo podría recuperarse de la pérdida de su hijo.

Cuando salimos del hospital, el sol brillaba y la gente comenzaba su día como cualquier otro. Bill y yo entramos automáticamente en el coche y comenzamos a dirigirnos a casa, a una vida que nunca sería la misma, una vida sin nuestro hijo menor. Le dije a Bill: "No sé cómo vamos a continuar sin Chris".

Bill había hecho varias llamadas desde el hospital a nuestra familia y amigos. Muy pronto llegarían a casa. Teníamos que comenzar a planear el funeral, una tarea que parecía imposible en nuestro estado. Lo peor de todo era que teníamos que decirles a nuestros dos hijos mayores, Keri y Ryan, que su hermano había muerto. Éramos y somos una familia muy unida y sabía que se sentirían tan destrozados como nosotros. Explicarles los detalles era una tortura. Keri lloró y lloró, sin poder creerlo y Ryan gritó: "¡No, no, Chris no!", mientras golpeaba su cama.

Los días que siguieron no fueron reales. Agradezco a Dios que tuviéramos el apoyo y el amor de nuestros amigos y familia. Todos nos necesitábamos. Todos querían a Chris y todos sufrieron mucho. El funeral fue hermoso. La iglesia estaba repleta de gente, era especialmente consolador ver a tantos de los amigos de Chris.

La gente nos decía que siempre recordarían el rostro sonriente de Chris y sus bromas y cómo los hacía reír. Algunos de sus amigos nos contaron que él los había ayudado en momentos difíciles, dándoles consejos para resolver sus problemas. No tenía idea de que había llegado a tanta gente. Para cuando terminó la recepción, nos sentíamos mucho mejor, después de transcurridos cuatro días desde esa horrible mañana.

Sin embargo, la pena se filtró los días siguientes y comenzamos a sentirnos peor que nunca. La muerte de Chris todavía era increíble para mí. Me descubrí diciendo una y otra vez: "Chris está muerto, o Chris murió". Comencé a contar cada día después del accidente y cada día era más difícil que el día anterior. Era un día más desde la última vez que viera a mi muchacho. Empecé a pensar que un día serían cuarenta o setenta o cien días y luego los días se convertirían en años. No creí que pudiera soportarlo.

Todo estaba tan silencioso en la casa sin Chris. Cuando estaba en casa siempre se oía el sonido de sus conversaciones, cantaba, reía, andaba por todos lados, lo llamaban por teléfono y, por supuesto, ponía su música favorita, reggae. Keri y Ryan juntos nunca hicieron tanto ruido como Chris. ¿Cómo es posible que un hijo hiciera tal diferencia? Cada vez que hacía algo por última vez, como lavar sus últimas ropas sucias, cambiar las últimas sábanas, arreglar su habitación y cancelar su cita con el dentista, me sentía destruida. Todos hablan de recuerdos y esa palabra me hace estremecer. Detesto esa palabra porque todo lo que me queda son recuerdos. Pero los recuerdos de los dieciocho años de Chris difícilmente podían durarme una vida. Comencé a escribir todo sobre él, por temor a olvidarlo algún día.

Bill debía regresar a su trabajo, pero lo hacía con piloto automático. Tenía problemas de concentración y para tomar decisiones. Regresaba a casa agotado y destruido. Sentía mucha pena por él y deseaba poder consolarlo, pero no tenía nada para darle. No tenía energías. Keri y Ryan regresaron a sus clases y también encontraron dificultades en sus actividades. Me sentía agradecida porque tenían muy buenos amigos con ellos.

Yo pasaba los días sentada, pensando y repasando todos los detalles de la muerte de Chris. Necesitaba encontrar respuestas para mis preguntas: "¿Sintió dolor? ¿Estaba consciente en el final?¿Me llamó a mí?". Y luego, las filosóficas: "¿Era su momento de morir?¿Se habría muerto de otra forma, si esa noche se hubiera quedado en casa, o tenía que ser así?". Ryan dijo algo extravagante después del funeral. Dijo que Chris le había contado que había tenido una visión de su funeral mientras miraba la alfombra de su cuarto, más o menos una semana antes del accidente. Dijo que veía su ataúd, las flores y la gente llorando. Yo pensé: "¿Qué es eso? ¿Chris había tenido una premonición de su muerte?".

Tenía problemas para rezar. Me sentía abandonada por Dios. Pero mi mente agradecida contradecía mis sentimientos y yo sabía que Dios estaba conmigo. Emocionalmente me sentía sola. Siempre había rezado por la salud y la seguridad de mi familia cada día.¿Por qué no funcionó esta vez? En el hospital, Bill y yo rezamos más que nunca, pero nuestras oraciones no fueron escuchadas. Como católica, siempre creí en la vida eterna con Dios en el cielo. Mi fe me sostuvo cuando murió mi madre y también para la muerte de mis abuelos. Pero la muerte de Chris fue diferente. La fe sola no era suficiente. Necesitaba saber con seguridad que mi hijo estaba en el cielo. Necesitaba

saber si estaba bien y feliz y si estaba con gente a la que conocía. Deseaba saber si me oía cuando le hablaba. Quería saber si
estaba cerca nuestro en la casa ¿Es él quien hace titilar la luz
en momentos inesperados?¿Él hace que la puerta del garaje se
levante y se baje sola? Cuando sentíamos su presencia, me preguntaba: "¿Estás realmente aquí?".

Aunque me sentía vacía, seguía rezando. Rezaba para que
Dios se ocupara de él. Rezaba para que Dios permitiera a Chris
darnos señales de que estaba cerca. Creía que Dios tenía a Chris
para siempre y rezaba para que en Su Misericordia, me con-
cediera mis pedidos.

Pasaba el tiempo leyendo libros sobre dolor, ángeles, experiencias cercanas a la muerte y comunicación después de la
muerte. Ayudaban porque el conocimiento es catártico.
Algunos meses después de la muerte de Chris, vi un programa
televisivo llamado *El otro lado*, en donde un médium espiritual
llamado James Van Praagh, explicaba su don para comunicarse
con los muertos. Yo había leído sobre ese fenómeno, pero ver
que realmente lo demostraba fue sorprendente. Los detalles que
aparecían en las lecturas para los invitados al show fueron
pruebas suficientes para mí de que James realmente se comunicaba con los espíritus. James apareció en varios programas
durante los meses siguientes. Los grabé todos y Bill, Keri, Ryan
y yo los miramos juntos. Esos shows nos dieron una esperanza.
Decidimos que debíamos tratar de ponernos en contacto con
James para nuestra sesión personal.

Pronto supimos, por un anuncio de la radio, que James iba
a hacer una demostración en Los Angeles. Asistimos Bill y yo.
Había unas doscientas personas en el público y resultó una
experiencia abrumadora. Las personas para la que James hacía
una corta lectura eran elegidas al azar y los mensajes que
recibían de sus seres queridos les daban esperanza, amor y
curación. Otra vez, los detalles certeros de los mensajes daban

absoluta seguridad de que la gente estaba en comunicación con sus seres queridos.

Después de la demostración, llamamos de inmediato para hacer una cita. James estaba con su agenda completa hasta el año siguiente, pero no importaba, íbamos a esperar. Pasó el tiempo y recibimos una llamada de la oficina de James, avisando que habían tenido una cancelación. Al día siguiente, los cuatro llegamos a nuetra cita con una mezcla de emociones. Estábamos entusiasmados y nerviosos, todo al mismo tiempo. Bill y yo habíamos rezado para que Chris apareciera con claridad y se comunicara con nosotros. James nos recibió en la puerta y de inmediato nos hizo sentir cómodos con su cautivadora personalidad y sus palabras bondadosas. Nos hizo sentar, dijo una oración y comenzó la sesión.

—Su madre estaba allí y lo ayudó a pasar. Ella está con él. ¿Lo llama Chris, no Christopher? —continuó James.

—Es así —asentí.

—Está bien, deje que lo traiga para usted. Tengo que decirle algo aquí. Su madre es muy graciosa. Se inclina hacia él y le dice que tiene que ser serio en esto. Ella dice no lo arruines. No hagas un lío, ellos se lo toman en serio.

Todos dejamos escapar una risa nerviosa. Luego James continuó.

—A Chris le gusta jugar. Es un bromista y le gusta ser el centro de atención. Está diciendo, vinieron aquí por mí. Es un payaso. Quiero decir que es realmente gracioso. Quiere hacer disparates por allí. La abuela sacude la cabeza, como diciendo que hay cosas que nunca cambian.

—Exacto —dije.

—¿Quién estaba mirando un mapa? ¿Estaba mirando un mapa en el coche?

—Sí, sí —contesté—. Yo estuve mirando en el mapa, viniendo para aquí.

—Su hijo está tratando de ayudarla. Está diciendo que mami siempre se pierde.

James se tomó un momento antes de continuar.

—Chris ha traído a algunos amigos que conoció aquí. ¿Quién es Jonathan o John? Está en espíritu con Chris y tiene diecinueve años. Murió por una sobredosis de droga. Usted no lo conoce, pero conocerá a sus padres. Tal vez ya los conoció.

—No, todavía no.

—¿Hubo algún problema con un vehículo, un coche o una moto?

—Sí —respondí.

—¿Chocó contra algo?

Otra vez dije que sí.

—¿Había un árbol? Me están mostrando un árbol. Como si hubiera una estampida contra el árbol.

—Sí.

—Me sentí inconsciente justo cuando sucedió. Su hijo estaba inconsciente. Siento que en algún aspecto él es responsable. Tiene que declarar su responsabilidad por esta situación. Le enseñará un poco sobre ser responsable y el valor de la vida.

—Sí, se quedó dormido al volante —respondí yo—. Era muy tarde a la noche.

—Él está diciendo que tuvo mucha suerte de tenerlos por padres, porque lo comprendían. Dice que el amor es dejar a la persona que sea lo que es, en su propio sendero y sabiendo eso, siguen estando allí y todavía lo aman y lo dejan crecer. Él sigue creciendo en el otro lado. Siento que hay problemas con él. No intencionales. Él siempre está buscando la aventura y la excitación. Me está dando la impresión de que usted tuvo que dejar muy pronto las reglas por él. ¿Lo entiende?

—Sí, es correcto —y sonreí.

—Él tenía que quedarse en su habitación porque no obedecía las reglas y mientras más reglas le imponía uno, peor se portaba. Porque él es un rebelde.

Todos nos reímos al pensar en Chris y sus rebeliones.

—Él está diciendo que lamenta haber sido tan molesto y haberles causado tantos problemas y dolor. También quiere decirles que está aprendiendo mucho sobre el amor en el otro reino. A propósito, los quiere muchos a ustedes. Los ama por haber venido aquí esta noche. Se los agradece.

Yo también estaba muy agradecida por estar allí.

—¿Está haciendo algo con estantes? —preguntó James.

—¡Sí! —dije con una carcajada. James también rió.

—Él dice: Dios, ella está llenando esos estantes. Él la mira hacer eso. Usted está haciendo un lindo hogar para su familia. ¿Lo entiende? ¿Entiende que el espíritu está con usted?

—Sí, nos mudamos hace poco y yo todavía estoy ordenando cosas.

Entonces James puso su atención en mi hija Keri.

—¿Fuiste tú o alguna otra persona, la que puso un rosario en su ataúd?

—Lo hizo mi mamá —respondió Keri.

—¿Tomaste una rosa del servicio fúnebre?

—¡Sí! —respondió.

—¿La guardaste en una caja o en la Biblia?

—La puse en una caja.

—¿Y le escribiste algo a él cuando se murió? ¿Le escribiste una carta o un poema y lo leíste en su servicio o lo leíste solo para ti?

—En el funeral no —respondió Keri— sino que lo leí solo para él.

—¿Pero lo escribiste, no? Era sobre lo que sentías por él.

—Sí, es cierto —respondió Keri asombrada.

—Él recibió la carta y te quiere por eso. Tú escribiste: Siempre voy a amarte. Eso le llegó al corazón.

Keri casi se puso a llorar cuando oyo ese último comentario.

—Muchas veces él no demostraba su afecto por ti. Mantenía sus emociones ocultas. ¿Lo entiendes?

—Sí, claro.

—Pero tú realmente le llegaste al corazón. Realmente lo hiciste. El dice que estuvo juntando sus lágrimas y las puso en una caja para todos ustedes. Con mucho amor, mucho amor.

Entonces James dijo a Keri.

—¿Tienes una cajita de música o un joyero?

—Sí, un joyero.

—¿Hace poco que lo tienes?

Keri rió, otra vez sorprendida.

—¡Sí!

—¿Adivinas de quién proviene? Es, en realidad, un regalo de Chris. Tu mamá o alguien pudo regalártelo o puedes haberlo comprado tú, pero fue realmente de Chris, porque el espíritu puede influir para que otros compren cosas.

—Vi ese joyero en un catálogo y me estuve debatiendo sobre si debía tenerlo o no y luego finalmente decidí comprarlo.

—Está diciendo que tengas buena suerte con los estudios. Tu hermano está muy orgulloso de ti. Dice que siempre fuiste muy seria con los estudios. Mientras él siempre vagaba, tú estudiabas mucho.

Keri dejó escapar una carcajada.

—¡Es verdad!

Entonces James preguntó:

—¿Quién tiene un Volkswagen?

—¡Ambos lo teníamos! —respondió Ryan.

—Me está diciendo, dile a mi hermano sobre el Volkswagen. Él sabrá de lo que estás hablando.

—¡Oh, caramba! —dijo Ryan.

James se volvió hacia Ryan.

—Tu hermano y tú tienen un lazo especial. Debo decírtelo. Es como si no necesitaran decirse las cosas, porque cada uno sabe, con exactitud, lo que está pensando el otro. Él quiere que sepas que ese lazo va más allá de la familia. Han tenido otras vidas de aprendizaje juntos, han regresado a este mundo físico y han pasado experiencias juntos. Ya sabes, es muy parecido a ir al colegio y asistir a clase juntos. Hay un amor entre tu hermano y tú que va más allá del tiempo. ¿Lo comprendes?

Ryan asintió. James continuó hablándole.

—Él me está diciendo que tú lo maldecías cuando él murió. Dice que estabas enojado y te enloqueciste y golpeabas con tus manos contra algo como una pared. ¿Recuerdas eso?

—Sí —respondió Ryan.

James le habló con suavidad.

—Tu hermano está enojado consigo mismo por el accidente y tu sentiste su furia. Está diciendo que no fuiste tú, de acuerdo. ¿Él te llama Ry?

—Sí, él lo hacía.

—Dile a Ry que no lo hice a propósito. ¿Es posible que hubiera bebido?

—Sí, más temprano.

—Yo tuve la sensación de que estaba bebido. Eso es lo que él me está dando y yo tengo que decirte lo que recibo. Siento que fue su culpa y que él se hace totalmente responsable por eso. ¿Tienes su gorra?

—Sí, tengo varias —respondió Ryan.

—¿Pero no quieres usarlas?

—No quiero que se arruinen.

—Él dice: mi hermano las pone en un altar. ¿Él tenía algunos trofeos?

Esta vez contesté yo.

—Nosotros los tenemos.

—¿Todavía hay por allí una chaqueta y algunas remeras de él?

Otra vez dije sí.

—Hay ciertas cosas que usted no quiere que la gente tenga o toque y él no comprende eso. Él piensa que la gente debe tener sus cosas y usarlas. Lo pone feliz que Ryan esté usando algunas de sus camisas.

James le preguntó a Ryan.

—¿Todavía necesitas un coche nuevo?

Otra vez, todos reímos confirmándolo.

—Dice que siempre te querrá y siempre te protegerá. Quiere que aprendas de su estupidez. Dice que siempre tuvo la sensación de que tú querías protegerlo a él, pero ahora él te protegerá.

James continuó.

—Ryan, no te acerques a las motos.

—Me encantan las motos. Tengo dos —respondió Ryan.

—Tu hermano está diciendo que tengas cuidado en terreno resbaladizo. Debes tener mucho cuidado, podrías patinar. Sólo conduce en caminos de tierra, no en las calles. Lo lamento, Ryan, pero tengo que decirte esto.

—Casi choco cuando me resbalé por el agua. Pero la mayor parte del tiempo, voy por caminos de tierra.

—Chris va a tratar de ayudarte para conseguir un coche.

—¡Dios! —Ryan se alegró al oír eso.

James fijó su atención en Bill.

—Su hijo lo molesta mucho en su oficina.

—Lo sé —dijo Bill.

—¿Tiene la foto de Chris en su escritorio, no ha notado que algo se mueve o falta?

—La foto parece moverse. Tengo que acomodarla todas las mañanas.

James sonrió.

—Ése es Chris que lo molesta. Dice que lo palmea en la espalda y trata de moverle la silla.

Bill asintió.

—He sentido un golpe en la espalda.

—¿También las luces se prenden y se apagan?

—Hace eso todo el tiempo. Comenzó a hacer titilar las luces desde el principio y todavía lo hace.

James asintió.

—Él confirma que está haciendo eso. Me dice mi papá y yo tenemos una buena comunicación y también que se le aparece en sueños.

—Sí, he tenido sueños muy vívidos de él.

James miró a Bill por un momento.

—Veo una gran cantidad de color lavanda que lo rodea. Muy espiritual. Inspirador. Veo alrededor trabajo espiritual. Él me dice que usted debe estar haciendo más trabajo espiritual.

Bill asintió.

—Sí, estoy haciendo curación energética para la gente.

Entonces James le preguntó:

—Usted tuvo algún problema con un cheque o una chequera, porque su hijo se está riendo a carcajadas. Dice que él lo hizo equivocar.

Bill rugió.

—¿Tiene un sistema de alarma en la casa o en su oficina?

—Sí, en las dos.

—El sistema últimamente se estropeó.

—Sí, el sistema de seguridad de la oficina falló hace unos pocos días, y tuve que ir a ver. No encontré razón para que hubiera salido de servicio.

—Chris iba con usted en el coche.

Todos nos quedamos asombrados, mientras James continuaba hablándonos de nuestro hijo.

—¿Tiene un localizador? Él dice que juega con el localizador. ¿Recibe la señal y no lo entiende?

Bill soltó otra carcajada.

—¡Sí!

—¡Adivine quién fue!

Bill sacudió la cabeza.

—Chris siempre ponía su código cuando me llamaba por el localizador. Una noche, todos salimos a cenar para celebrar un cumpleaños y recibí una llamada. Era el código de Chris. No podía creerlo. Era como si me estuviera diciendo que él estaba allí con nosotros.

—¡Él estaba allí! Dice que no sea tan papá, que usted también puede ser un chico.

Los ojos de Bill comenzaron a llenarse de lágrimas. James continuó.

—Chris dice que quiere que se dé cuenta de que no es tan doloroso como usted cree. Me está agradeciendo por ayudarlo a usted. Lo está pasando muy bien y se siente bien. Dice que regresará y hará todo de nuevo. ¿Chris era monagillo? —preguntó James a Bill.

—Sí, lo fue.

—¿Conoce a un sacerdote que murió? Porque él se ha encontrado con alguien por allá, un caballero mayor, tal vez un sacerdote o un monseñor, al que Chris ayudaba como monaguillo.

Bill estaba atónito.

—Sí, Monseñor Gallagher, el párroco de nuestra iglesia, murió. Chris era su monagillo.

—¿Tienen algo hecho con su nombre o en su nombre? —preguntó James.

—Sí —respondió Bill —Tenemos establecida una beca con su nombre, en su colegio.

—¿Y qué pasa con un árbol? Me está diciendo algo sobre un árbol como un recordatorio o algo así.

Otra vez respondió Bill.

—Ryan puso una cruz en el árbol contra el que chocó Chris. La gente también pone flores allí.

Entonces, James nos preguntó a todos.

—Muy bien, ¿tienen algunas preguntas?

Bill se apresuró a preguntar.

—¿Qué hace Chris durante un día común? ¿Tiene algún trabajo?

James responió.

—No piensen en el mundo de ellos con noche y día, porque no es así. Hay sólo luz de día, no hay noche. Tampoco necesitan comer o dormir. ¿Entienden? Chris anda con chicos de su edad. Hace todas las cosas que un muchacho de su edad puede hacer. Los ayuda mucho a ustedes y está aprendiendo muchísimo. ¿Iba al colegio?

—Sí —respondió Bill—, se iba a graduar en la secundaria la semana después del accidente.

—El dice que es difícil explicarle esto a usted, en cierta forma, pero que está aprendiendo diferentes aspectos de su alma. Hace un trabajo que lo ayudará con el crecimiento de su alma. Ahora está aprendiendo sobre la caridad. Me está diciendo: "Ayudo a los bebés pequeños". Quiere mucho a los bebés. Ayuda a ubicar a los bebés que cruzaron al otro lado. Los entrega a gente que se preocupan por los bebés. Está diciendo que trabaja con chicos jóvenes que no se han dado cuenta de que murieron, chicos que murieron en accidentes. Algunas veces, cuando la gente muere, no se dan cuenta de inmediato. Dice que tiene que hacerlo para equilibrar las cosas.

—¿Necesitó mucha energía para venir hasta aquí? —preguntó Bill.

—Dice que es diferente de lo que usted pueda pensar. Es algo muy pesado, pero el amor que tienen por él es el combustible que lo ayuda a venir y le permite quedarse aquí. Es como sentarse en una piscina con dos metros y medio de profundidad. Los espíritus no necesitan venir aquí, no es su mundo natural.

James volvió su atención a mí.

—¿Hizo un santuario después de su muerte con fotos, velas, flores o una cruz?

—Tengo unas pocas fotos en un estante, con una vela y algunas flores.

—¿Se sienta en la cama de Chris y piensa mucho en él y reza por él? ¿Llora?

Respondí que sí.

—Quiere que sepa que está a salvo. Así que sus oraciones fueron escuchadas. ¿Está bien?

Me sentí aliviada.

—Muchas gracias.

Entonces James dijo algo que nunca esperamos.

—Ustedes tenían un perro que murió, porque él me está diciendo que está con un perro. ¿Era el perro de él? Porque hay algo especial entre él y ese perro. Chris dice que está con él. Es algo que ustedes quieren saber, porque él dice que usted querrá saber eso.

Abrí mucho los ojos.

—¡Oh, sí! Esto es increíble. Nuestra perra, Brandi, murió cuatro días antes que Chris, en la misma calle. Todos la queríamos mucho. Yo esperaba y rezaba para que Chris y Brandi estuvieran juntos. Él en especial estaba muy apegado a ella. Le dije a Chris que si mencionaba a Brandi en esta sesión, iba a tener la seguridad de que era él.

El rostro de James se iluminó con una amplia sonrisa.

—¡Me encanta! Bueno, vamos a terminar aquí con una oración. Muchas gracias, amigos, todos ustedes, por la ayuda y asistencia por venir y traer mensajes de amor, paz, alegría y confianza. Les agradecemos, queridos guías y también ayudantes por toda la asistencia de esta noche, al transformar los pensamientos en mensajes. Les pedimos que por favor ayuden a cada uno de los presentes en sus propias sendas de amor y luz. Gracias y bendiciones.

La reunión finalizó con todos nosotros abrazándonos. En el camino a casa todos hablamos de los mensajes que Chris nos había enviado a través de James. Estábamos entusiasmados y llenos de alegría y amor. De lejos era el mejor día que habíamos tenido desde la muerte de Chris. No podíamos creer los complicados detalles que habían transmitido. Nos demostraban, sin ninguna duda, que Chris estaba con nosotros. Nos oía cuando le hablábamos y rezábamos. Estaba feliz y bien. La sesión fue como un llamado telefónico al cielo. No podíamos esperar para contarle a nuestra familia y amigos sobre esa experiencia.

Puesta al día

Donna y yo seguimos en contacto desde que la familia vino a verme. Me contó que comenzaron a curarse a partir de la lectura. En sus palabras: "Nuestra desesperación fue desapareciendo gradualmente y nuestros rostros tienen más sonrisas que lágrimas. Todavía lo extrañamos muchísimo y siempre lo haremos, pero saber que está cerca y que podemos hablarle es un gran consuelo. Nos trajo paz y esperanza. Ahora sabemos que fue sólo el cuerpo de nuestro hijo el que murió ese día; su espíritu, personalidad, esencia y alma, están vivos y bien. Chris no murió, está vivo en el cielo y algún día volveremos a estar con él".

También me dijo: "Ya no tengo miedo a la muerte. La muerte no es un final, es sólo una transición a un lugar mejor, nuestra casa. Saber eso ha intensificado mi relación con Dios y la ha hecho más fuerte. Algunas veces Dios nos da un don que nos permite experimentar verdaderamente algo o nos da una patadita en el trasero, para decirlo de alguna forma, para aumentar nuestra fe. Ésa es la vida eterna después de la muerte.

"Chris continúa dándonos señales de tanto en tanto, a su manera juguetona: haciendo titilar las luces, prendiendo y apagando la radio, haciendo que sintamos aromas y moviendo las cosas."

Bill y Donna se anotaron en mis clases de Desarrollo Psíquico. Cada día siguen aprendiendo más sobre la propia espiritualidad. Bill aumentó y expandió su capacidad de energía curativa y ayuda a mucha gente. Comparten sus experiencias con otra gente que han perdido a sus seres queridos con la esperanza de que sean consolados como lo fueron ellos.

MI HIJO ÚNICO

He tenido la suerte de compartir ciertos momentos especiales y de aconsejar a miles de padres, a través de la organización llamada Los Amigos Compasivos, un grupo de apoyo de padres y hermanos. No importa la cantidad de pruebas que proporcionen los detalles que llegan a través de la comunicación, los padres igual se sienten despojados de su hijo o hija. Una parte de sus vidas está perdida para siempre.

Marie es la narradora de la siguiente historia. Ella es una de los padres que conocí en la organización de Los Amigos Compasivos. Conducía un taller para ellos en Nueva York, en 1994 y ella fue de gran ayuda para organizarlo. Su hijo había muerto en un accidente automovilístico el año anterior y desde entonces había llegado a los corazones de muchos.

Era un sábado, el 7 de agosto de 1993, otro día perfecto en la soleada California. Estaba visitando a mi hermana y su familia, mientras mi hijo Peter y mi marido habían regresado al Este. Peter acababa de graduarse en la Universidad de

Siracusa y estaba en Nueva York con mi esposo Phil, entrevistándose para conseguir trabajo en el negocio de ediciones musicales. Había hablado con él la noche anterior y estaba entusiasmado con un trabajo en particular para el que tenía una segunda entrevista. Le aseguré que lo conseguiría, ya que no dudaba de su capacidad.

Mi hermana y yo decidimos conducir hasta Carmel, para caminar por allí y mirar vidrieras. Teníamos que estar de regreso para una fiesta de despedida para mi sobrino, quien se iba al día siguiente a la universidad. Cuando regresamos de Carmel, esa tarde del sábado, estábamos agotadas. Decidimos olvidar la fiesta de despedida y, en lugar de eso, encargar una pizza y mirar una película. Justo cuando colocábamos el filme en la video, sonó el teléfono. Eran las nueve de la noche, medianoche en Nueva York. Era Phil. Me dijo que Peter había muerto. Me oí decir: "Eso es imposible". Lo incomprensible —lo insondable— había sucedido. La impresión y la incredulidad de ese momento está grabado con tanta profundidad en mi mente, que su cicatriz dio forma a todos los eventos que siguieron en mi vida.

La noche anterior, Peter había salido con un grupo de compañeros que pasaban el fin de semana en la ciudad. El tiempo había estado terrible durante todo el día y a las diez de la noche estaban aburridos y la posibilidad de ir a un bar era muy tentadora. A las dos de la madrugada, Peter estaba muerto en una autopista en Manhattan. Murió instantáneamente cuando el joven que conducía perdió el control del coche en la carretera mojada por la lluvia. Peter se precipitó contra la ventanilla trasera como un torpedo. Había cuatro muchachos en ese coche, tres tuvieron golpes y moretones. Mi querido hijo Peter murió en un instante.

Peter era nuestro único hijo y él y yo teníamos una relación muy especial. Todas las madres aman a sus hijos, pero entre nosotros existía un lazo muy especial que muchos envidiaban. Era como si pudiéramos comunicarnos telepáticamente, completando los pensamientos y anticipándonos a las necesidades del otro. Como éramos una familia de tres, siempre había esa especie de dinámica de dos contra uno y, como el sentido del humor de Peter era más feroz que el mío, habitualmente éramos nosotros dos contra Phil. El pobre Phil nunca tenía posibilidades cuando Peter y yo nos juntábamos. En mi mente y mi corazón, Peter no podía hacer nada mal. Desde que empezó a gatear, yo era arcilla en sus manos y él lo sabía. Y Peter me adoraba. Desde su perspectiva, yo era más grande que la vida. No había nada, ningún problema que su mamá no pudiera resolver. Mi vida rayaba en la perfección. Y así como estaba, cuando alguien parece demasiado bueno para ser verdad, por lo general lo es.

Me gusta creer que Peter definía quién era yo.

Hay muchos que opinarán que esa perspectiva no es saludable. Pero para los que han perdido su único hijo, es una verdad marcada a fuego. No quiero decir que mi mundo sólo girara alrededor de Peter, porque siempre tuve una vida muy plena. Siempre estuve ocupada, como resultado de mis muchas actividades, y he viajado por todo el mundo con mucha gente muy valiosa. Mis actividades me han dado grandes satisfacciones personales. Pero pese a todo el encanto y la gloria, mi mayor felicidad era ser la mamá de Peter. Alimentarlo y acompañarlo por la vida hacia la madurez era la mayor satisfacción de todas.

Peter me amaba incondicionalmente, de la forma en que los padres aman a los hijos. Eso no es algo menor. Demasiado a menudo el amor entre la gente es un afecto limitado. Peter y yo nos dedicábamos por completo el uno con el otro. He oído a muchos padres acongojados tratando de describir esa clase de conexión. Algunas relaciones entre padres-hijos van más allá de la simple explicación. Con la partida de Peter, me sentí abandonada en un mundo donde ese amor y aceptación particulares ya no existían. Pese a que los amigos y la familia me rodeaban, estaba sola en el universo. Únicamente Peter podría haber imaginado mi dolor, y pensarlo sólo aumentaba mi tormento. En mi mente, nos veía a los dos retorciéndonos en la agonía de esa pena inexorable.

Varios años antes de la muerte de Peter, había muerto mi madre. Ella y yo tuvimos una relación tan estrecha como la que tenía con Peter. Su salud se fue deteriorando y, al final, tuvimos un intenso período durante el cual nos dijimos muchas cosas una a la otra. No es común tener la oportunidad de decir adiós tan completamente a alguien que uno ama, antes de que sea demasiado tarde. En broma, mamá solía decir que si realmente había una vida después de la muerte, ella encontraría la forma de mandarme un mensaje. Cuando ella murió en 1988, esperé una señal de ella, pero nunca me llegó. Mi hermana, por otra parte, me decía que sentía la presencia de mamá por todas partes. Me irritaba pensar que mi madre probablemente había decidido pasar su eternidad en California. Es probable que creyera que ya nos habíamos dicho todo y estaba decidida a brindar el resto de su atención en mi hermana.

La muerte de Peter, a diferencia de la de mi madre, me colocó frente a frente con mi propia muerte. La muerte se convirtió en el eje de mi vida. Necesitaba saber todo sobre el tema. Estaba segura de que ya estaba muerta, salvo que mi cuerpo no se había puesto al día con el resto de mi ser. La gente que más me importaba en el mundo estaba en otro lado y yo quería estar allí lo más pronto posible. Comencé a leer todo sobre la muerte. Entraba en una librería y me dirigía a la sección de libros sobre la muerte. Comenzaba por el estante de arriba y los recorría hasta abajo. Y al terminar el día, mi cabeza daba vueltas. Todo lo que leía parecía confirmar mi creencia cada vez más arraigada en que la vida de Peter no había terminado.

Pero debía encontrar algo que me lo asegurara.

Durante el invierno de 1994, justo seis meses después de la muerte de Peter, mi marido y yo estábamos pasando un tranquilo fin de semana en nuestra casa en Long Island. En televisión, pasaban el Show de Joan Rivers y el invitado era un joven médium, que estaba demostrando su capacidad para recibir mensajes del otro lado. Nos quedamos con los ojos fijos, mientras él transmitía mensajes para varios voluntarios del público y ellos parecían confirmar lo que les decía. Supe que tenía que encontrar a ese James Van Praagh.

Después de la muerte de Peter, me uní a un grupo de apoyo, llamado Los Amigos Compasivos, que tienen organizaciones por todo el mundo. Esa organización resultó ser el salvavidas que necesitaba para sobrevivir. Unas pocas semanas después de haber visto a James en el programa de televisión, escuché una conversación en una de nuestras reuniones, sobre James, que iba a dar una demostración en Nueva York. Necesitaba ayuda para encontrar un lugar adecuado para un centenar de personas. De inmediato me ofrecí como voluntaria y pensé que era una buena oportunidad para conseguir una lectura privada con él.

El 17 de junio de 1994, diez meses después de la súbita muerte de Peter, finalmente logré mi deseo. Mi largamente esperada sesión privada con James estaba agendada para las siete de la tarde y pasé todo ese día en un intenso estado de anticipación. Me sentía como una jovencita preparándose para su primera cita.

James tiene un gran sentido del humor, y yo también. Peter también tenía un irrefrenable sentido del humor y eso fue evidente de inmediato para James. Durante esas dos horas juntos, James y Peter parecieron pasar un tiempo maravilloso. Peter enviaba un mensaje tras otro y se hacía cada vez más presente.

Tan pronto como James empezó la sesión, Peter se puso a mi lado.

—Tu hijo está aquí contigo y tiene un gran sentido del humor. Hace tiempo que está esperando para hablar contigo. Dice que Nana fue la primera en encontrarse con él y que pasa mucho tiempo con ella.

Pensé para mí: "¿Realmente podrá ser Peter?".

—Me dice que doblaste una manta y trataste de meterla en el estante de arriba del placar. ¿Entiendes eso?

—Sí —contesté con asombro.

—Ahora me muestra un hospital. ¿Estuviste hablando con alguien sobre ir a un hospital?

Para entonces estaba impresionado con lo que James me estaba diciendo. Había hablado con alguien sobre ir al hospital, justo una hora antes de mi entrevista con él.

—Debo decirte que tu hijo está muy excitado, no puede calmarse. Me está mostrando cajas por toda la casa. Dice que estaba allí contigo cuando llenabas las cajas y te observaba cubrir las fotos.

No podía creerlo. Había estado guardando todo para tenerlo listo para mudarnos a nuestra casa de verano.

—Me dice que te extraña mucho —continuó James—. Te ama y te extraña.

—Yo también te extraño, querido —fue mi respuesta llena de lágrimas.

—Peter me muestra su habitación. Dice que no cambiaste nada y que se siente feliz al ver sus cosas donde las dejó. Me muestra un espejo rodeado de palabras. Hay algo que cuelga en el espejo. ¿Sabes a qué se refiere?

—Sé que hay diplomas al lado del espejo, pero no me doy cuenta de qué es lo que cuelga del espejo. Voy a fijarme cuando llegue a casa. —Estaba convencida de que Peter estaba conmigo. "¿Cómo podría alguien tener esa información?", pensé.

James continuó con mensajes de Peter.

—Me dice que hay cosas en la casa de las que hay que ocuparse. La pila de revistas en el living, dice que te libres de ellas. La puerta que rechina. Que la arregle papá. Me dice que papá tiene que ocuparse de las cosas. Que le digas que empiece a arreglar cosas en la casa.

Me encantó oír que Peter nos decía que continuáramos con la vida. Era muy reconfortante que él se ocupara así de nosotros.

En un momento dado, James comenzó a reír. Supe con seguridad que tenía que ser Peter.

—¿Estuviste en Las Vegas? —preguntó James—. ¿O en Atlantic City?

—Oh, sí —respondí.

—Me está mostrando máquinas tragamonedas. Me dice que trataba de ayudarte a ganar.

—Estuve en Atlantic City hace poco, jugando en las máquinas, pero perdí. Peter nunca fue bueno para los juegos. ¿Qué le hizo pensar que podía ayudarme?

James continuó.

—Me habla de gorras de béisbol. Tiene un montón. Ahora me muestra todas las fotos que hay en la heladera. Quiere que pongas algo en la cocina que haga ruido, así puedes saber cuando él anda por allí. ¿Comprendes? Ha tratado de llamar tu atención moviendo cosas en el living. Estoy viendo el color rojo. ¿El living es rojo? ¿Tiene algún sentido lo que digo?

—Sí, tiene mucho sentido para mí. —Pensé: "Sí, tendré que buscar algo para que puedas hacer caer de las repisas en el living rojo, Peter. Un lindo detalle, esa pista".

Se produjo una pausa. Entonces, James siguió:

—Me está mostrando un funeral. Está feliz de ver allí a todos sus amigos. Le encantó el poema que leyeron. Sabía que eso fue idea tuya. Se alegró de que no invitaras a su novia.

¿Laurie o Lauren?

—Sí, había muchos amigos, novias y ex novias, llorando ante la tumba de Peter.

Me sentí muy feliz de que Peter hubiera asistido a su propio funeral. Fue un día extraordinario.

—Me dice que él estuvo a tu lado en el estrado —dijo James.

—Me pareció que el aire se movía cuando estaba en el estrado. Sentí que él estaba allí.

—Quiere que sepas que él fue el que tiró el ramo de rosas. Fue para el final del servicio. ¡Fue su forma de decir se terminó!

—¡Lo sabía! No había nadie cerca de las rosas. Y de pronto se cayeron como si una mano invisible las hubiera tirado. Sabía que tenía que ser Peter.

James recibió una verdadera impresión con eso.

Para cuando nuestra entrevista terminó, sentí que realmente había pasado la tarde con Peter. Regresé a casa sintiéndome aturdida por la sensación de una verdadera comunicación. Sabía que Peter estaba bien. También sabía que era tan importante para él conectarse conmigo, como lo era para mí. Estaba convencida. Él estaba bien. Vivía. Estaba en alguna parte.

Cuando llegué a casa tenía una paz que no sentía desde esa fatídica llamada. Entré en su habitación para controlar el espejo y encontré las borlas de todas las gorras de graduación de Peter —primaria, secundaria y facultad— colgando allí. Entonces me senté y le escribí una carta.

Querido Peter:
Esta noche fui a ver a James Van Praagh. Como siempre me siento obligada a anotar mis pensamientos (todos llenos de desesperación hasta ahora) simplemente debo escribir algo de lo que sucedió y de lo que estoy sintiendo.

Primero y lo más importante, desde este minuto, ya no estoy sobrecargada de tristeza y desesperación. Eso, en sí mismo, me asombra. Y tampoco me siento sola. Estoy, ahora mismo, convencida de que, de alguna manera, estás conmigo. Me siento por momentos vencida cuando pienso que no puedo tocarte, ni abrazarte, ni reír contigo o llorar contigo. Pero me siento consolada al saber que estás conmigo con tanta frecuencia.

Ayer, durante todo el día, sentí esa deliciosa anticipación, como si tuviera una cita. Sentía que iba a verte y tenía la clara sensación de que tú hacías lo mismo por allí, aunque no hay tiempo donde tú estás. Sentía como si te estuvieras paseando por allí, esperándome, hasta finalmente conseguir a James para que pudiéramos estar juntos otra vez. Conocer a James fue maravilloso. Uno se siente bien de inmediato y tiene una inocencia que hace que uno confíe fácilmente.

Con el paso del tiempo, mientras sigo asimilando todas las evidencias que me dieron, estoy segura de que tendré muchas más preguntas para ti. Pero lo que realmente quería esta noche era una evidencia, una aseveración de que estabas bien. Siento que nada menos podría ser. Pese a que no tengo idea de lo que puedo esperar, me convenciste de que tu hermoso espíritu vive.

Entonces, mi querido, bienvenido en cualquier forma en que existas. Voy a recibir lo que pueda hasta que estemos juntos otra vez. Dile a Poppa que recuerdo las cataratas del Niágara. Estoy tan contenta de que estés con Nana. El domingo es el Día del Padre. Papá estará muy contento con tus mensajes de amor. Sé que yo lo estoy.

No anticipo ninguna alegría futura en mi vida. Todavía me encontraré en las profundidades de la desesperación la mayor parte del tiempo. Pero esta noche siento una extraña seguridad de que tú y yo no hemos terminado. Y por eso te lo agradezco y se lo agradezco a James Van Praagh.

Te amo, Peter, y te extraño. Intentaré continuar hasta mi

fin natural con cierta dignidad y gracia. Pero voy a pasar cada día de mi vida esperando a la próxima vez que podamos estar juntos. Casi no puedo esperar.

Siempre con amor,
Mamá

Puesta al día

Marie tuvo un tiempo difícil por el dolor de la pérdida de su hijo, Peter. Hubo épocas en que ella pensó que no podría superarlo. Y si bien sigue con sus altos y bajos, es capaz de manejar sus sentimientos lo mejor que puede. Hablé con ella hace poco y me dijo que se mantiene activa entre su trabajo de tiempo completo y el grupo de Manhattan de Los Amigos Compasivos. Ha estado ayudando a otros padres a pasar por el proceso de duelo. También se toma tiempo para expresar y manifestar su dolor a través de la escritura y es la editora del boletín de Los Amigos Compasivos de Manhattan. Marie planea escribir un libro sobre el apoyo a los que sufren, compartiendo su historia y las historias de otros padres cuyas vidas cambiaron para siempre por la muerte de un hijo. Cuando no está trabajando, Marie se ocupa de su jardín en Long Island. "Hay algo muy espiritual en trabajar en un jardín —me dijo—. Cuando contemplo a mis flores que crecen y florecen, pienso en mi hijo Peter creciendo en el cielo. Ése es un lugar donde podremos estar juntos. Él siempre parece venir a mí durante esos momentos tranquilos en el jardín."

ACCIDENTES Y DESASTRES

A menudo me preguntan sobre seres queridos que han muerto en accidentes y desastres. Lo primero que me preguntan es: "¿Sintieron dolor?". La respuesta es siempre: "No". En el momento del accidente o caída del avión o terremoto, el ser espiritual se libera rápidamente del cuerpo físico. Una persona puede sentir temor y pánico antes de la muerte, pero no hay dolor físico en el momento de la muerte. La dificultad, para los sobrevivientes de muertes de esa naturaleza, es la tarea de vivir el duelo.

Los accidentes y desastres parecen ser hechos comunes en nuestros días. Tal vez porque vemos tantos de esos acontecimientos en las noticias de televisión. Debido a que las muertes de esa clase son súbitas, inesperadas y, en términos humanos, prematuras, los efectos traumáticos en los sobrevivientes son particularmente trágicos. Nadie está preparado para la noticia de la muerte de un ser querido en un accidente automovilístico o de un avión. Parece tan irreal. Uno se pregunta si alguien no cometió un terrible error y nos confundió con otra pobre persona que perdió a un ser querido en ese accidente.

Como ya han leído en los testimonios de padres cuyos hijos murieron en accidentes, no hay una forma fácil para manejarse con esa súbita y trágica pérdida de la vida. El shock es tan severo, que la mayoría de los sobrevivientes se ven lanzados a un estado de alteración. Se preguntan cómo pudo suceder algo así y por qué le sucedió a la persona que amaban. Esas preguntas habitualmente pasan por sus mentes durante un cierto tiempo. Después de la conmoción y el aturdimiento, generalmente la familia sobreviviente siente mucha culpa."¿Por qué no le dije que me llamara si iba a salir hasta tarde?¿Por qué no le dije que cambiara su pasaje de avión para el día siguiente?¿Por qué no lo llevé yo en coche en lugar de dejar que tomara el tren?"

Si uno está presente en el momento del accidente, sentirá culpa por haber sobrevivido. "¿Por qué fue mi hija y no fui yo?" Ese tipo de pensamiento puede atormentar a una persona y llevarla a alguna clase de enfermedad grave. También puede suceder que algunos miembros de la familia señalen con el dedo al sobreviviente.

Cuando se pierde súbitamente a un hijo, hay una gran cantidad de estrés en el matrimonio. No es raro que la pareja se divorcie después de una tragedia así. De alguna manera se culpan uno al otro y se culpan a sí mismos. No pueden llegar a un equilibrio con la pérdida. Ni siquiera pueden hablar entre ellos sobre el tema. Sienten que son los culpables y no soportan mirarse por miedo a recordar la muerte del hijo. Los recuerdos son demasiado abrumadores y dolorosos.

Los hermanos también se sienten alejados de la familia. Se preguntan si no debieron morir ellos en lugar del hermano o hermana favorito. Los padres están tan sumergidos en el dolor que no prestan mucha atención a aquellos que están vivos. El temor también se infiltra en la vida diaria del hermano o hermana. "¿Y si ellos se quieren librar de mí? Tal vez les recuerdo a... Quizá no pueda vivir de acuerdo a sus expectativas." Se sienten expuestos y vulnerables. Ésa es la razón por la que insisto en que todos los miembros de la familia hablen de sus sentimientos y los dejen manifestarse.

Desde un punto de vista espiritual, realmente no hay accidentes. Como pueden ver por las sesiones en este capítulo, el espíritu siempre tiene algo que aprender y cada uno elige esa muerte en particular, para completar una determinada lección o capítulo en el desarrollo de su alma. Por más que resulte difícil entenderlo con nuestras mentes humanas, de todos modos es verdad. Nadie muere por accidente. Es una experiencia trágica y desoladora, pero necesaria tanto para el que muere, como para los sobrevivientes. Todos tenemos que aprender algo de esta experiencia y solo cada individuo puede saber qué es.

PAUTAS PARA LA CURACIÓN

- Date permiso para vivir todo el proceso del duelo.
- Reconoce tu enojo, miedo y ansiedad. Todo eso es parte del duelo.
- Trata de no culparte por la muerte de tu hijo. La culpa y el reproche no traerán a tu hijo de vuelta y sólo empeorarán tu dolor. Acepta que no puedes controlar todos los hechos de la vida. Hay una fuerza más elevada en juego.
- Comunica tu dolor y angustia a tu pareja y a otros miembros de la familia o amigos. Mientras más te aísles, más vacío te sentirás. Oblígate a ver un terapeuta, si es necesario, o un grupo de apoyo para padres que pasaron por una situación similar.
- Ayuda a otros hijos de la familia a que expresen sus sentimientos. Habla con ellos por la noche o en el momento en que estén abiertos para expresarse. Quizá les guste escribir un poema o hacer un dibujo, como un recordatorio para el hermano o la hermana.
- Sé tolerante con tus amigos y parientes. Ellos también están sufriendo y tal vez no sepan cómo comportarse en esa situación. Es probable que te observen para entender cómo deben reaccionar y manejarse.
- Tal vez puedas escribir una oración o un poema, o elegir la música para el funeral o el entierro. Ésa es una forma maravillosa de expresar tu amor permanente por tu hijo.
- Hay que tratar de mantenerse saludable. Alimentarse en forma adecuada. Ejercitarse realizando caminatas. Si tienes problemas para dormir, escucha algún casete de meditación o música que te calme. Algún té de hierbas puede ayudar a la relajación.
- Comunícate con el hijo muerto a través del pensamiento,

los sueños, palabras o fotos. Recuerda, tu hijo escucha tus pensamientos y siente todo tu amor y dolor en el mundo espiritual.

- Comienza un diario con tus sentimientos y recuerdos de tu hijo. La fuerza de tus recuerdos te consolarán con el paso del tiempo.

- Cuando lleguen las fiestas y los cumpleaños, haz algo para celebrarlos. Expresa tus sentimientos. Trata de no hundirte en lo que pudo haber sido. En lugar de eso, intenta ver a tu hijo creciendo y aprendiendo en el mundo espiritual.

- No empieces a comparar a tus otros hijos con el que murió. Cada hijo es único y especial.

- No te apresures a sacar las pertenencias de tu hijo o a cambiar su habitación. Ya habrá mucho tiempo para hacerlo, cuando te sientes mejor.

- Comienza a explorar el lado espiritual de la vida. Abre tus pensamientos al gran panorama de la vida. Las oraciones de una naturaleza elevada siempre ayudan a los padres y al hijo muerto. Tal vez puedas aprender nuevas ideas que sean de naturaleza positiva sobre la vida y la mente universal.

- Si algún otro fue responsable de la muerte de tu hijo, por favor, encuentra perdón en tu corazón. Lo que des regresará a ti. Uno nunca conoce el equlibrio kármico que es parte de la situación. Trata de no juzgar a los otros con dureza. Recuerda que el amor siempre causa más amor.

- Celebra la vida de tu hijo. Tal vez te sientas llevado a participar en alguna causa u obra de caridad para ayudar niños. Quizás tengas los medios para crear una beca que ayude a otro niño. Tu contribución a la sociedad es un legado de tu hijo.

- Prueba algo nuevo en tu vida que siempre hayas deseado hacer.
- Date cuenta de lo fuerte y poderoso que realmente eres y canaliza esa energía para recuperar cierta normalidad en tu vida.
- Ten la seguridad de que vas a poder pasar por esa experiencia.
- Date cuenta de que estarás unido con tu hijo cuando sea tu momento de volver a casa en el cielo. El amor es el puente mientras estás en la tierra.

Mi queridísima mamita

Cuando te preguntes el significado de la vida y el amor,
comprende que yo estoy contigo,
cierra los ojos y siente que te estoy besando
en la suave brisa que toca tu mejilla.

Cuando comiences a dudar de que alguna vez vuelvas a verme,
aquieta tu mente y escúchame:
Yo estoy en el murmullo de los cielos
hablando de tu amor.

Cuando pierdas tu identidad,
cuando te cuestiones quién eres y adónde te diriges,
abre tu corazón y mírame:
Yo soy el destello de las estrellas sonriendo hacia ti,
iluminando el sendero para tu viaje.
Cuando te despiertes cada mañana
sin recordar tus sueños,
pero sintiéndote contenta y serena

comprende que yo estaba contigo
poblando tu noche con pensamientos sobre mí.

Cuando persistes en la pena que queda
y todo parece tan desconocido,
piensa en mí y comprende
que yo estoy contigo
tocándote a través de las lágrimas compartidas
de un amigo bondadoso
calmando el dolor.

Así como la salida del sol ilumina el cielo desierto
en la asombrosa gloria, despierta tu espíritu,
piensa en nuestro tiempo, demasiado breve,
pero siempre brillante.
Cuando estés segura de nosotros, juntos,
cuando estés segura de tu destino,

comprende que Dios creó este momento a tiempo,
justo para nosotros.
Mi queridísima Mamá, yo siempre estoy contigo.

Joanne Cacciatore

PARTE III

Pérdidas de diferente clase

6

Divorcio:
La muerte del matrimonio

¿Cuántos hemos experimentado el desgarramiento de un amor que desaparece? Cuando un amor muere, uno se siente arrojado a un mundo que parece vacío e incierto. Sentimos la pérdida y atravesamos el duelo, pero puede ser que no reconozcamos las señales. El divorcio trae consigo toda clase de connotaciones negativas. A nadie le gusta la palabra y nadie quiere realmente tener que pasarlo. Por desgracia, el divorcio es un hecho de la vida y, como la muerte, el fin de un matrimonio causa dolor mental y emocional. El sueño de un futuro juntos no se realizó. La casa está vacía. Ya no nos sentimos completos. Como al perder a la pareja por la muerte, recorremos mucho del mismo dolor emocional, porque una vida íntima compartida juntos llegó a su fin. De pronto una vida que antes parecía tan segura llegó al final y uno debe descubrir cómo hacer para manejarse con ese cambio desolador. Las parejas con hijos sienten que se suma la pérdida de ya no poder compartir los sueños y esperanzas sobre el futuro de los hijos. Y encima de todo, también debes enfrentar a tu círculo familiar, amigos y relaciones y soportar sus reacciones. La culpa es, por lo general, la primera respuesta a un divorcio y distintos miembros de la familia y amigos, suelen tomar partido por uno u otro miembro de la pareja, lo que hace que las cosas sean aún peores. De manera que uno no sólo perdió a su pareja y se siente solo, sino que de repente hay parientes que nos dan la espalda y los amigos casados ya no nos incluyen en su círculo de actividades. Uno se siente lastimado y el aislamiento parece total.

Pero por desgracia, como todas las pérdidas, el divorcio nunca sucede en un momento oportuno. A menudo, el divorcio se produce justo cuando compramos una casa nueva o un coche nuevo, o cambiamos de empleo o incluso tenemos un bebé. No es raro que cambios importantes en nuestra vida generen preguntas en nuestra mente también sobre otras zonas de nuestra vida. "¿Me siento realizado?" "¿Esto es lo que deseo?" "¿Soy feliz con la forma en que funciona mi vida?" Cuando una pareja enfrenta metas individuales, pero ambos sienten que van en la misma dirección, entonces todo va bien. Sin embargo, cuando sienten que uno superó al otro o tienen metas o direcciones opuestas, el divorcio parece ser la única elección viable.

Un divorcio suele ser el resultado final de años de infelicidad y de insatisfacción en una relación. Es frecuente que uno de los dos sienta que no ha crecido emocionalmente con el otro. Quizás uno de los dos está persiguiendo intereses y metas diferentes o los sueños y los deseos del otro han cambiado y siente que no se realizará en su situación actual. Uno o los dos puede haber perdido el interés sexual en el otro, o darse cuenta de que, en primer lugar, nunca fueron adecuados para estar juntos. La insatisfacción también puede resultar por los diversos tipos de estrés a que nos somete nuestra sociedad a través del trabajo, los hijos y el envejecimiento.

DUELO POR EL DIVORCIO

Es natural que la gente que se divorcia experimente dolor, separación, tristeza, enojo y desesperación. Esos mismos sentimientos se producen cuando un ser querido muere. También es típico que el marido o la esposa se sientan traicionados. "¿Cómo pudo hacerlo?" "¿Cómo me hizo eso a mí?" Es frecuente que experimenten alguna clase de culpa. "Si hubiera pasado más tiempo con él. Si no lo hubiera abandonado." Ésas son reacciones muy comunes. Son muchísimas las personas que consideran el divorcio un fracaso, porque creen que podrían haberlo hecho mejor. Se culpan y crean toda clase de diferentes escenarios posibles. "Debía saber que esto iba a suceder.¿Cómo pude ser tan estúpido?"

El divorcio ocurre habitualmente porque uno de los dos ha tomado la decisión de terminar la relación. En su mente, está terminada. Por supuesto, las parejas suelen buscar consejo antes de llegar a la decisión final. Después de todo, aprendimos sobre relaciones de nuestros padres y si la relación de ellos estuvo llena de dificultades, nuestra experiencia de una buena relación afectuosa es limitada. Si tuvimos poco apoyo emocional de niños, no sabremos dar apoyo emocional a otros. Si fuimos abusados física o emocionalmente, llevamos ese dolor en nuestro interior y lo transferimos a otra persona. Pero podemos anular lo que nos enseñaron y siempre es inteligente buscar ayuda antes de dar el paso definitivo hacia el divorcio.

Sin embargo, cuando uno decide terminar la relación, habitualmente lo hace después de mucha meditación. Si uno de los miembros de la pareja se siente frustrado, es probable que se haya vuelto muy rígido y tenga expectativas irreconciliables con respecto al otro. En las situaciones donde a uno le queda chica la relación, tiende a internalizar los sentimientos y no los expresa verbalmente. En ese punto, toda comunicación se rompe en tal grado que las únicas emociones que quedan son la culpa y el enojo. La reconciliación, aun con el mejor de los terapeutas, es muy poco probable.

Si tú eres la persona a la que dejaron, con seguridad te sentirás lastimada. Es probable que sientas que hiciste algo mal: "No soy bastante buena". La persona abandonada suele experimentar problemas de baja autoestima. En ciertos casos, la persona tiende a aferrarse a la relación, negando que llegó a su fin. Desgraciadamente, eso sólo prolonga el sufrimiento, así como la negación reprime sentimientos de furia y vergüenza profundamente instalados.

LAZOS KÁRMICOS

En el plano físico, el divorcio se siente como una muerte. Estamos desorientados por completo. Nos sentimos heridos, ofendidos y humillados. La mayoría de nosotros considera al divorcio desde ese plano y no observa mucho más. Sin embargo, en un plano espiritual, sucede mucho más. He hablado con mucha gente años después que se ha divorciado y todos parecen decir lo mismo: "Fue una de las experiencias de crecimiento más importantes de mi vida".

Desde un punto de vista espiritual, el divorcio se produce porque deben satisfacerse las obligaciones kármicas entre dos almas. Las almas se reencarnan juntas durante una vida para cumplir un contrato del alma. A menudo, cuando nos encontramos por primera vez con un alma compañera, sentimos que hemos conocido antes a esa persona. En un nivel intuitivo, nos sentimos atraídos hacia esa persona. Los resultados son diversos. Hay matrimonios espirituales, como el de Margie y Buddy en un capítulo anterior, en el cual dos espíritus eternizan un amor incondicional uno por el otro, así como el amor por sí mismo. Lo opuesto también es verdad. Algunas relaciones están condenados desde el comienzo. Sabemos que no es buena para nosotros, pero nos sentimos impulsados hacia esa persona por alguna razón inexplicable. Esto significa, por lo general, que una relación kármica debe resolverse y que la lección para el alma no podrá completarse sin un compromiso. Tal vez las almas eligen agotar o consumir sus deseos de vidas pasadas para crear una unión. Ese "agotar" el karma entre dos puede no resolverse en el tiempo de una vida. Quizá debamos aprender independencia y egoísmo, o tendremos que superar diferencias y tener confianza en nosotros mismos y en otros. Es frecuente que un alma tenga que pagar una obligación de una vida anterior, como verán en mi historia personal. Ésa es la naturaleza de un contrato del alma. Eso no siempre significa que viviremos con felicidad después.

La evolución espiritual es parte del destino de cada alma en la Tierra y cada una de las almas crece y evoluciona a una velocidad diferente. La mayoría de los matrimonios se separa por su propia conducta inconsciente. Es importante que tengamos esto presente al tratar de comprender la naturaleza del divorcio. Si podemos dar un paso a un costado y mirar la situación desde una perspectiva más amplia, más universal, comprenderemos que elegimos nuestra pareja particular para progresar espiritualmente. Si continuamos albergando mala disposición incluso después del divorcio, entonces tendremos que regresar en otra vida para repetir la experiencia hasta que aprendamos a amar.

Tenía que ser

Yo pasé por mi propia angustiosa y desesperante experiencia de divorcio. Como en el caso de una muerte, no creo que nunca nos libremos por completo de ello, pero con optimismo podemos aprender a reconstruir nuestras vidas en una forma positiva y plena.

Conocí a Karen en la facultad. Nunca olvidaré esa noche.

Había ingresado a mitad de año y necesitaba ganar puntaje de inmediato, así que me anoté como asistente del director, para la producción de *Side by Side by Sondheim*. Mi trabajo consistía en dar indicaciones a varios técnicos para cambios de escenario. También tenía que encender un foco en la escalera de salida por la que los actores abandonaban la escena.

En mi primer ensayo, observaba el escenario en busca de mi primera señal para encender la luz en la escalera, para que saliera la actriz. Estaba ansioso, sosteniendo mi foco, cuando vi que entraba una pequeña rubia de ojos azules y mejillas sonrosadas. En el momento en que la vi entrar en el escenario, sentí que se me ponía la carne de gallina. No podía dejar de mirarla. Cuando abrió la boca para cantar, fue como si un coro de ángeles hubiera descendido sobre ese querubín terrenal. Casi no pude contenerme. Nunca había visto una mujer tan hermosa y con tanta inocencia y espontaneidad. Tuve la sensación de una conexión distinta a cualquiera que hubiera tenido hasta el momento. Recuerdo que pensé, justo en ese momento: "Un día me casaré con ella". Eso sucedió antes de que yo supiera nada sobre fenómenos psíquicos, vidas pasadas o karma. Simplemente era sólo esa clase de conocimiento que tenía acerca de Karen.

Con la repetición de los ensayos diarios, pude conocer a Karen. Al principio no pareció interesarse en mí, pero para cuando el espectáculo estuvo en marcha, nos reíamos cada vez que ella aparecía y yo la seguía con el foco. Se sentía muy aliviada de que yo estuviera allí, porque tenía un problema de visión doble, debido a un accidente automovilístico.

Karen y yo nos hicimos amigos rápidamente y pronto comenzamos a vernos con regularidad, compartiendo almuerzos y cenas, mientras discutíamos nuestros antecedentes, nuestros logros y nuestros planes para el futuro. Transcurrieron unos pocos meses y comenzamos a salir como pareja. Disfrutábamos mucho cuando estábamos juntos. Íbamos a espectáculos y bailes, hacíamos picnics en el parque y leíamos y estudiábamos juntos. Era mi primera relación seria y estaba lleno de felicidad.

La relación continuó durante todo nuestro primer año de facultad y el verano. Yo vivía a unos sesenta y cuatro kilómetros de Karen, así que durante el verano, la visitaba en el área rural de Nueva York. Sus padres, como la mayoría, eran un poquito sobreprotectores con su hija. Trataban de apartarla de mí, pese a que yo siempre me esforzaba en ser considerado y encantador en esas visitas. Sentía que si los padres de Karen me llegaban a conocer mejor, confiarían en mí y se alegrarían por nuestra relación. Sin embargo, nunca demostraron su aprobación.

Después de ese verano, Karen no regresó a clases. Parecía que el accidente automovilístico había tenido más efectos en ella de lo que parecía al principio. Tenía muchos problemas con la columna y los médicos recomendaron reposo. Nuestra relación comenzó a debilitarse, mientras la distancia crecía entre nosotros tanto literal como figurativamente. Hasta que, por fin, cada uno siguió por su camino y yo me quedé con el corazón destrozado. No podía creer que hubiera terminado. Después de todo, había pensado que me iba a casar con esa muchacha. De alguna manera me sentía estafado.

Avancemos con rapidez doce años. Me había mudado de Nueva York a California. Había comenzado un trabajo de tiempo completo en los estudios Paramount, como coordinador de los contratos. Además de manejar los documentos en el Departamento de Contratos, me encontraba en un mundo nuevo en su totalidad. Había comenzado a desarrollar mi capacidad psíquica.

Habían pasado unos dos años y medio desde que Brian Hurst me dijera por primera vez que yo era médium. En esa época ya estaba involucrado en grupos de meditación y cada noche, después del trabajo, hacía lecturas para la gente. Ya tenía una lista de espera de tres meses, todo debido a la propaganda boca a boca, así que pensaba que tenía que haber algo en todo esto.

Recuerdo esas veladas y siempre me siento afortunado por poder comunicarme con el espíritu. Pasaba las noches estrechando el espacio entre el mundo humano y el mundo espiritual. Me di cuenta de que, cuanto más contemplaba el increíble mundo espiritual, más me llenaba de los pensamientos de amor, bondad y ternura de los espíritus y más deseos tenía de difundir el mensaje y que todos lo tuvieran. Sentía que si podía compartirlo con otros, nuestra vida en la Tierra podría convertirse en mágica. Cuando veía el cambio total en el rostro de una persona después de haberse comunicado con un hijo o algún otro miembro querido de la familia ya muertos, y sentía la energía luminosa y amante en la habitación, sabía que había encontrado el trabajo de mi vida.

Durante el transcurso de ese gran descubrimiento, comencé a preguntarme por mi relación con Karen, tantos años antes. Pese a que le había dicho adiós, nunca dejé de pensar en ella. Me sentía perseguido por su recuerdo y esos pensamientos acuciantes se volvieron más frecuentes. Parecía que, al aumentar mi capacidad en el nivel psíquico, más se intensificaban mis pensamientos sobre Karen. Era muy extraño. Sentía como si no hubiéramos completado algo juntos. Esos pensamientos se hicieron cada vez más fuertes y me encontré preguntándome constantemente: "¿Cómo estará Karen?¿Qué estará haciendo ahora?".

La presión del recuerdo de Karen se volvió excesiva y decidí hacer algo al respecto. Llamé a informaciones para buscar su número de teléfono. Por desgracia, no había nadie con ese apellido, al menos en el setenta y cinco por ciento del estado de Nueva York. Me sentí frustrado, pero seguía sintiendo que debía ponerme en contacto con ella. Así que levanté la vista hacia el cielo y dije en voz alta: "Queridos amigos, si debo encontrarme con Karen otra vez, para aprender algo de ella o para cumplir algo, por favor, hagan que ella me llame".

Todavía siento un escalofrío al pensar en ello. Sentí que mi ruego era algo raro, pero me parecía que debía llegar al final de mi asunto y que, si debía ser, sucedería. La fantástica respuesta a mi ruego llegó dos semanas después, a las seis de la mañana de un martes. Sonó el teléfono y bajé corriendo las escaleras hacia la cocina. Mi mente estaba llena de horribles pensamientos sobre alguien herido o muerto. No hace falta que diga que no soy inmune a tener los mismos pensamientos que cualquiera en esas circunstancias. De todos modos, atendí el teléfono, vacilando en escuchar la tragedia que debía estar sucediendo del otro lado de la línea. Sin embargo, luego de una pausa, escuché el sonido de esa dulce voz angelical, que no oía desde hacía doce años.

—Hola, James. James Van Praagh, habla Karen... Fuimos juntos a la facultad. ¿Te acuerdas de mí?

¿Acordarme de ella? ¡Si ella supiera por todo lo que había pasado! Casi me desmayo. Me preguntaba: "¿Esto es real?¿Es una broma?¿Estoy soñando?". Para resumir, estaba conmocionado. El mundo mágico y mísitico del espíritu había oído mi súplica y había respondido con un resonante "sí".

—Hola, James. ¿Eres tú? ¿Me oyes?

—Sí, Karen. ¿Cómo estás? No puedo creer que esté hablando contigo. —Estaba mareado y transpiraba profusamente.

—Es gracioso, pero estuve pensando en ti desde hace tiempo y mucho más en las últimas dos semanas. Y la semana pasada me encontré con alguien que conocía a tu hermano, así que lo llamé y me dio tu número de teléfono en California. Espero que no te moleste que te haya llamado.

Intentaba conservar la calma.

—Oh, sí, es grandioso que hayas llamado. Es curioso, pero yo también estuve pensando en ti. ¿Cómo te ha ido? ¿Qué hiciste? ¿Dónde vives?

No podía detenerme. Quería ponerme al día por esos doce años. Hice muchas preguntas, porque además de mi alegría, me sentí turbado. No deseaba oír la respuesta que iba a recibir.

—Oh, estoy bien. Ahora estoy casada.

La había oído. Oh, no, la palabra que no quería oír. Mi corazón sufría.

—¿Casada? —dije con cierta frialdad— ¡Casada! —repetí con voz aguda, diciéndolo varias veces, como si eso pudiera cambiar la situación y volvernos a nuestra época de solteros.

—Sí estoy casada desde hace un par de años. Mi marido trabaja en los medios de comunicación. ¿Cómo estás tú? ¿En qué estás ahora? He pensado en ti todos estos años.

Sentí un rayo de esperanza cuando admitió que ella también había pensado en mí.

—Oh, no estoy haciendo mucho. Me mudé a Los Angeles para convertirme en un escritor de comedias. Y ahora estoy trabajando en la Paramount, en el Departamento de Contratos.

No quería hablarle sobre mi trabajo psíquico. No quería ahuyentarla cuando acabábamos de reencontrarnos. Al menos, pensé, podíamos ser amigos. No quería que pensara que me había vuelto loco si le decía que era médium.

Karen y yo charlamos durante más de media hora, poniéndonos al día con nuestras vidas. Me explicó cómo se había convertido en una persona importante en un movimiento de renacimiento cristiano. Me alegré mucho de no haber compartido todo con ella.

—Recordaba los buenos viejos tiempos y pensé en ti —me dijo.

Pasamos el resto de la charla riendo y bromeando y recordando viejos amigos y acontecimientos que nos gustaban.

Nuestra conversación era agradable y me daba la seguridad de que todavía nos entendíamos después de todos esos años. Intercambiamos teléfonos con la promesa de volver a llamarnos pronto.

Durante las dos semanas siguientes, Karen y yo pasamos muchas horas en el teléfono. Yo estaba un poco confundido, porque sabía que ella estaba casada y nada podía surgir de nuestra relación. Pero estaba tan feliz que no deseaba reventar la burbuja todavía. Racionalizaba mis temores diciendo "sólo es para recordar viejos tiempos".

Sin embargo, esa diversión se volvió algo más serio cuando Karen decidió visitarme en California. ¿Era posible? No podía creerlo y pensé que el mundo espiritual me estaba haciendo una gran broma. Dos semanas más tarde, con una valija con rueditas, Karen bajó del avión y el tiempo se detuvo.

En el momento en que nos vimos ¡bum!, algo sucedió. No hacía falta ser médium para sentirlo. Había electricidad entre nosotros, era casi incómodo cómo nos mirábamos. Pero los dos sabíamos que era real y que nuestra relación podía convertirse en muy peligrosa.

Esa noche salimos a cenar al restaurante Sizzler de la zona. Mientras la contemplaba, me di cuenta de que no había envejecido. Había mantenido su gracia y sentido del humor. Al mismo tiempo, tenía la desagradable sensación de que todo no era perfecto en esa imagen. Algo, en alguna parte, parecía un poco fuera de lugar. Karen habló de su vida en la iglesia y admitió que se sentía muy poco satisfecha con ese tipo de ocupación. Fue entonces cuando decidí que era el momento de hablar. Tenía que ser honesto con ella.

—Soy un médium —dije y tragué, esperando que me mandara al diablo.

Me miró sorprendida con los ojos muy abiertos y respondió.

—¿Tú también? Oh, gracias a Dios. ¡Creí que era la única!

¡Qué alivio! Ambos hablamos de nuestras experiencias y capacidades como médium.

—En mi iglesia no nos referimos a eso como espíritu —me explicó.

La velada resultó ser esclarecedora y extraña al mismo tiempo. Parecía que éramos dos almas afines que se habían reunido y mi único pensamiento era: "¿Qué vamos a hacer ahora?".

Karen y yo pasamos la semana siguiente hablando de todo. Admitió que estaba atravesando una separación temporaria de su marido. Me confesó: "Ya no me siento conectada con él". Dijo que necesitaba a alguien que se ocupara más y la apoyara y se interesara en las mismas cosas. Pensé que allí era donde aparecía yo. Era obvio que todavía nos amábamos y que deseábamos sinceramente pasar el tiempo juntos. Recuerdo que levanté la vista al cielo y escuché las palabras del espíritu: "¡Ten cuidado con lo que deseas!".

Karen nunca regresó al Este. Se sentía otra vez viva y libre. No quería regresar a la iglesia. Tenía que asegurarme de que su decisión de quedarse estaba basada en su cambio de actitud y no por mi causa. No deseaba ninguna repercusión kármica. Al mismo tiempo, no estaba tan seguro de querer involucrarme con Karen o de comprometerme con ella, aunque todavía sentía que debía estar con ella. Karen pidió el divorcio y comenzó a vivir conmigo. Vivimos juntos durante varios meses y cada día parecía mejor que el otro. Ocurrían diferentes cosas, extrañas coincidencias que me llevaban a creer que estábamos destinados a estar el uno con el otro.

Un amigo mío ayudó a Karen a conseguir trabajo en la compañía Fortune 500 y rápidamente se adaptó al nuevo estilo de vida. Como cualquier pareja, comenzamos a conocer cada vez mejor al otro. El espíritu era el foco central en nuestra relación y Karen comenzó a integrar mis círculos de meditación.

Realmente disfrutaba con su compañía, pero algo parecía no sincronizar, aunque no descubría qué era. En muchas ocasiones, cuando tenía que salir por un tiempo, Karen se ponía tan ansiosa como para pensar en el suicidio. Decía cosas como: "Por favor, no vayas. Tengo miedo. No confío en mí. Puedo llegar a hacerme daño".

Hasta que por fin esa ansiedad se convirtió en repetidas pesadillas por haber dejado la iglesia en las que se sentía abandonada. Encontramos una maravillosa terapeuta que trabajó con los dos. Dedicó mucho tiempo a tratar el desamparo de Karen. La terapia fue un éxito y Karen parecía realmente saludable. Las pesadillas comenzaron a calmarse.

Nuestra relación crecía día a día y nuestra cercanía se intensificaba. Parecía que el casamiento era la progresión natural. Algo en mi interior me instaba a casarme con Karen, como si fuera lo esperado. Pensarán que, al ser médium, debía saberlo con seguridad. Sin embargo, como cualquier otro ser humano, tenía mis propias lecciones que aprender. Es difícil leer para mí, ya que mis emociones tiñen mi juicio sobre mi persona.

Cuando le pedí a Karen que se casara conmigo, ella sintió cierta turbación. Interpreté sus sentimientos como desconfianza a casarse otra vez. Por otra parte, sentía que, por alguna razón, debía ser así. Invité al espíritu del mundo a asistirnos en la decisión y pedí: "Amigos, si el matrimonio debe realizarse, por favor dennos señales".

Nos mantuvimos abiertos para estar conscientes de esas señales, cuando ocurrieran. Pasaron varios meses y decidimos comprar los anillos de matrimonio, pero tuvimos dificultades para encontrar lo que deseábamos. Después de mirar miles de anillos, entramos en un negocio en Santa Mónica, California. Nos recibió un hombre muy amable, con marcado acento italiano, llamado Leo. Le dijimos lo que queríamos. Sonrió, nos llevó hasta un mostrador de vidrio y nos mostró un par de anillos de matrimonio. Karen y yo nos miramos. Los anillos eran exactamente el diseño que buscábamos. No podíamos creerlo. Le pedimos al joyero que los ajustara, para buscarlos el fin de la semana siguiente.

Esa semana cuando estábamos comiendo en la casa de una amiga y comentamos que habíamos encontrado los anillos perfectos, pero todavía necesitábamos encontrar el anillo de compromiso que hiciera juego, ella sugirió que llamáramos a su amigo que era dueño de una joyería y nos escribió el nombre y la dirección. Al día siguiente, cuando llamé a la joyería, el número me resultó familiar. Me contestó un hombre con acento marcado. "Joyería especializada." Otra vez, el nombre me resultaba familiar. Le expliqué lo que estaba buscando y me sugirió que fuéramos a su negocio en Santa Monica. Me quedé atónito. No era raro que me sonara familiar. Era exactamente el mismo negocio en el que habíamos estado la semana anterior. Le pregunté si conocía a Leo y me dijo que Leo era su padre. Pensé que ésa era una señal del espíritu.

El domingo siguiente a la tarde, Karen y yo pasábamos por un centro comercial. Le dije:

—¿Por qué no buscamos hoy tu vestido de bodas? Se volvió hacia mí y me contestó:

—No creo que podamos encontrar lo que estoy buscando en estos negocios.

Sin embargo, siguió adelante para complacerme.

—Igual no creo que pueda encontrar lo que quiero.

—¿Qué es lo que quieres? —pregunté.

—Un vestido de Jessica McClintock con encaje color marfil. Lo vi en una revista.

Con esa idea en mente, pasamos las puertas dobles de Macy´s y tomamos la escalera mecánica hacia la sección Vestidos de Fiesta.

Al bajar de la escalera, el primer maniquí que vimos llevaba un maravilloso vestido con encaje color marfil.

Karen se detuvo.

—¡Es ése!

—¡Bueno! —dije encantado.

—Es magnífico, pero estoy segura de que no es el talle correcto.

Nos apresuramos a controlar la etiqueta. ¡Decía Jessica McClintock, talle cuarenta y dos! Nos contemplamos boquiabiertos. ¿Era ésta otra señal del espíritu? Buscamos una vendedora y le pedimos que nos dijera el precio.

—Es el último que queda y hoy está en liquidación. —Creo que eso me convenció de que todo concordaba y de que nuestro matrimonio debía realizarse.

La boda se realizó en la casa de un amigo en Malibu, con una hermosa vista al mar. Fue una ceremonia sencilla y nosotros habíamos escrito el texto de nuestros votos. Tal vez una de las señales más profundas todavía debía ocurrir. Mientras leíamos nuestros votos, dos palomas volaron en círculos hasta que finalizó la ceremonia. Fue una experiencia verdaderamente hermosa y sincera y siempre la recordaré.

Karen y yo tuvimos una breve luna de miel y rápidamente volvimos a nuestras tareas diarias. Muy poco después, tuve esa abrumadora sensación de que había consumado algo. No sé cómo explicarlo, salvo diciendo que sentía que algo estaba terminado.

Compramos una casa y disfrutamos arreglándola, llenándola con muebles nuevos y atractivos. Adoptamos dos perros y varios gatos de la calle. Pero ni los muebles ni los animales podían llenar algo que parecía faltar. Una vez que nos acomodamos en nuestra casa, nuestra relación comenzó a decaer con lentintud. Como muchas otras parejas, cada persona aprende y crece en diferentes etapas y eso, creo, es lo que nos sucedió a nosotros. Pienso que nuestras metas nos llevaban en direcciones distintas y, cada día que pasaba, nos separábamos más. Durante meses fuimos al consejero matrimonial y después de intentar una cantidad de ejercicios para parejas, llegué a la conclusión de que el matrimonio estaba terminado. Duró un año y medio. Por un lado, tenía la sensación de que algo se había cumplido, aunque no estaba seguro de qué era, y por el otro, me sentía muy triste.

Aprendiendo una lección

No importa quién inicia el divorcio, siempre hacen falta dos para un matrimonio y dos para terminarlo. Cuando nuestro matrimonio se desintegró, Karen y yo experimentamos enojo, culpa y reproches. Fue una de las épocas de mi vida más provocadoras emocionalmente. Por momentos pensaba: "Ni siquiera conozco a esta persona". En cierto nivel, eso no tenía sentido para mí. Sentía que había dado todo para que nuestro matrimonio funcionara y sin embargo eso no servía. Comencé a preguntarme: "¿Es esto lo que se supone que logramos con la espiritualidad?¿Y las señales del espíritu?". Eso era especialmente confuso para mí, porque creía que estábamos bendecidos por el espíritu. Y sin embargo, allí estábamos, separándonos.

Para poder aprender de esa experiencia, tenía que hacerme responsable de mis determinaciones. Comencé a cuestionar mis motivos e intenciones para conseguir el divorcio.

¿Por qué me siento frustrado con mi matrimonio?

¿Me siento triste, solitario y deprimido?

¿Siento que Karen y yo ya no estamos conectados el uno con el otro?

¿Tenemos las mismas metas?

¿Respetamos las diferencias del otro?

¿Tenemos control de los problemas?

¿Soy feliz?

¿Mi alma se está nutriendo?

Esta última pregunta era la más importante de todas y, desgraciadamente, mi respuesta era "no". Si un matrimonio se vuelve despojado emocional, física, mental o espiritualmente, uno no puede quedarse en esa situación. Me di cuenta de que éramos dos almas que tenían que aprender algo una de la otra. Tenía que ver a nuestra relación como una oportunidad para crecer, aunque en ese momento eso no tuviera sentido. Más allá del dolor y el sufrimiento, tenía que encontrar el amor y la alegría. Tenía que encontrar felicidad dentro de mí mismo.

Varios meses más tarde, fui a ver a un curador y clarividente, llamado Michael Tamura, que me había sido muy recomendado por un amigo. Michael es un hombre con una increíble sabiduría y precisión. La primera vez que lo conocí, supe que tenía un gran don de captación.

En nuestra primera reunión, Michael me aseguró que nunca me había visto, ni oído hablar de mí. Me sentí aliviado. Sentía que la lectura iba a ser más exacta si no tenía idea de quién era yo. Michael comenzó la lectura colocándose detrás de mi cabeza y moviendo los dedos y manos hacia arriba y hacia abajo.

Entonces preguntó:

— Estuviste casado, ¿cierto?

—Sí —contesté.

—¿La muchacha es baja, con cabello enrulado rubio, no?

—Sí, así es —era obvio para mí que estaba por el buen camino.

—Sí, puedo ver su energía a tu alrededor. Ella sigue aferrada a ti en algunas cosas. Tú y ella acaban de limpiar una deuda kármica. Veo que tú cortaste con los lazos del matrimonio y comprendo la causa.

"Al fin", pensé para mí mismo. Alguien finalmente iba a

resolver esta confusión y me diría qué pasaba con mi matrimonio. Estaba agradecido por cualquier aclaración.

—Por favor, continúa. Me gustaría alguna clarividencia sobre ese tema.

—Verás —explicó Michael—, en otra vida, tú y Karen eran
gitanos. Viajaban juntos en carretas y vivían en distintas al-
deas. En esa vida, que parece ser la última que experimentaste
con ella, te suplicó que te casaras y le prometiste que lo harías.
Varios días antes de celebrar el matrimonio, te asustaste y te
marchaste. Ella estaba tan desesperada y con tanto odio hacia
sí misma, que decidió suicidarse. Tomó veneno y se mató. Esto
creó una deuda kármica entre ustedes dos. Entre medio de las
vidas, tú prometiste resolver las repercusiones kármicas de esa
situación. ¿Lo entiendes?

—Perfectamente —respondí.

—Tenías que sobreponerte al temor a comprometerte —continuó Michael— y al mismo tiempo ayudarla a creer en sus
fuerzas.

Cada una de las palabras de Michael resonaban con profundidad en mi alma. Sentí como si mirara en un espejo y viera
mi vida con claridad. Finalmente comprendía por qué tenía esa
inexorable sensación de que necesitaba estar con Karen,
después de nuestro noviazgo de estudiantes. La percepción de
Michael también arrojó luz en los sentimientos de abandono,
soledad y suicidio que experimentaba Karen. Tenía que pasar
otra vez por los mismos sentimientos para tener la oportunidad
de crecer después de eso. Debía aprender a tener confianza en
sí misma y yo tenía que ayudarla. Por cierto que eso ponía todo
en perspectiva. El espíritu nos hizo conectarnos en esta vida
para completar nuestra obligación kármica y aprender de ella.
Me sentí aliviado por haber cumplido lo que había prometido.
En ese punto ya no tenía más dudas sobre mi decisión de divor-
ciarme. Sentí que habíamos completado lo que necesitábamos

hacer y estábamos en libertad de seguir adelante.

En retrospectiva, mi matrimonio y divorcio con Karen parece bastante simple, pero aprender la lección no fue tan fácil. Todos hemos oído la frase: "Tienes que seguir tu propio camino". Eso era con exactitud lo que teníamos que hacer. Teníamos que dejar la actitud de "yo tengo razón, tú estás equivocada". Sentir pena por nuestras pérdidas es simplemente normal y es necesario para atravesar el divorcio. Muchos de nosotros no comprendemos que todos los sentimientos que afloran en un divorcio son las etapas del duelo. Una vez que nos damos cuenta de eso, somos capaces de dejar que la vida fluya, en lugar de tratar de aferrarnos al pasado.

La vida después del divorcio

En un nivel psicológico, ser otra vez soltero puede despetar muchas ansiedades e inseguridades en nuestro interior. Lo más evidente es el temor a perder la estabilidad financiera. De pronto, estás solo para solventar los gastos de la casa y ya no puedes gastar dinero sin fijarte. Si tienes hijos que mantener, es mucho más atemorizante. En muchos casos, una persona divorciada debe encontrar fuentes adicionales de ingresos, lo que a su vez la vuelve más resentida y vacía emocionalmente. Aparecen responsabilidades del hogar que debes afrontar solo. Uno pasa por las etapas del dolor igual que cuando alguien muere. Te sientes aislado. Te refugias en la negación. Piensas: "Esto no puede estar sucediéndome a mí". Negar tus sentimientos es un fenómeno común. Si no lo sentimos, no existe. Creo que nuestros sentimientos de negación son la causa de la mayoría de los problemas de la sociedad. Actos de violencia y abuso surgen de sentimientos negativos que han sido reprimidos y negados en profundidad.

Cuando se experimentan sentimientos de aislamiento, soledad y aturdimiento, sugiero que busquen la ayuda de amigos o grupos de apoyo. Ése es el momento de abrir el corazón. Aferrarte a tus sentimientos de pena, furia y autoaversión sólo hará que te sientas miserable e incapaz. En lugar de dejar que esos sentimientos se propaguen, busca formas de llenar el vacío en tu interior. Si puedes comenzar a reconocer la pérdida de una relación, habrás dado el primer paso en el camino de la recuperación. Debes darte cuenta de que hay muchos ajustes para realizar durante el camino. Al lograrlos, te estás dirigiendo hacia la curación de tus heridas. Cuando puedas hablar con alguien en quien confías y al que respetas, y expresar esos sentimientos internos, vas a sentir alivio. Esa forma de depuración siempre es buena para el alma. En segundo término, cuando uno discute sus sentimientos con otro, consigue una perspectiva nueva de la situación. La reacción de otro puede ayudarte a ver el problema de forma diferente y aclarar algo de la confusión que puedas sentir y posiblemente generar alguna forma de cierre.

Hijos y duelo

Entremedio de las vidas, Karen y yo nos pusimos de acuerdo en limpiar nuestro karma y, una vez que lo conseguimos, ya no había necesidad de continuar juntos. Sin embargo, cada situación es única. Para muchas parejas su karma incluye tener hijos. Recuerden que cada miembro de una familia elige las condiciones bajo las cuales entrará en el mundo, incluyendo los hijos de padres que se divorcian. De todos modos, los sentimientos, preocupaciones, estados emocionales y psicológicos de hijos cuyos padres se divorcian deben tomarse en cuenta durante el proceso y muy a menudo no lo son.

Cuando una pareja se divorcia, la mayoría de los hijos ya han sido testigos de meses o tal vez años de conflicto. Debido a que son mucho más sensibles que los adultos, los chicos reciben cada pensamiento, matiz, emoción y acciones visibles y ocultos. Todo se graba en sus subconscientes. Ya a la edad de tres años, un niño registra las cicatrices emocionales de un divorcio. Así que no crean que los niños son impermeables a lo que está sucediendo. Los pensamientos y los sentimientos se entierran profundamente en la psiquis de un niño y puede que no resulte evidente para los adultos que lo rodean.

Los hijos mayores caen en una especie de tirabuzón en picada y se preguntan qué les sucederá cuando sus padres se separen. No importa las peleas, malos tratos y trastornos, los hijos se aferran a la seguridad de tener un padre y una madre. Los hijos pueden no verbalizar lo que sienten, pero se sentirán desplazados. "¿A dónde iré?¿Quién se ocupará de mí?" Lo mismo resulta para un niño cuyos padres han muerto. Los niños sienten la pérdida, pero no saben cómo verbalizar sus sentimientos. Todo se internaliza y se magnifica. Los niños habitualmente se sienten mal o culpables en cierta forma y esos sentimientos pueden marcar el resto de sus vidas. A veces esas emociones inexpresadas se manifiestan en conductas destructivas.

Los hijos de divorciados se sienten atrapados en medio de algo sobre lo que no tienen control. Aman a sus padres, pero sienten que deben elegir a uno por sobre el otro. ¿Sabes lo difícil que es para un hijo tomar esa decisión? Es demasiado difícil.

Algunas veces, los padres ponen deliberadamente a sus hijos en el medio de un divorcio, lo que sólo provoca más miedo en el interior del niño. La mayoría de los padres llegan a un acuerdo sobre la tenencia y el hijo vive con uno de ellos y es visitado por el otro.

Hay una gran cantidad de similitudes entre la pérdida de

los padres por fallecimiento y la pérdida por un divorcio. Primero de todo, el hijo habitualmente siente culpa: "¿Habré hecho algo mal?¿Es un castigo por mi mala conducta?". El niño tiene una gran confusión. A veces no sabe cómo actuar frente a los demás. Puede sentirse incómodo en especial entre sus pares. Los niños suelen tener ganas de llorar, pero no quieren mostrar sus emociones para no herir a uno de sus progenitores o a los dos. Puede enojarse o volverse malhumorado: "Me han abandonado. Soy incapaz de manejar una situación así. A ellos no les importo".

Si un niño es educado en un hogar religioso, puede cuestionar a Dios por esa situación. ¿Dios me está castigando a mí? En la parte física, puede sufrir de insomnio, pérdida del apetito y disminución de actividad.

Todos los hijos tiene que lidiar con la conducta adulta mientras crecen y eso ya es bastante difícil aun en los mejores momentos. Cuando ocurre un divorcio, el niño debe manejarse bajo las peores circunstancias. Dependiendo del acuerdo de la tenencia, una madre puede sentir que ha perdido el control de la vida de sus hijos y puede volverse entrometida y dominante. Puede decirle al padre lo que debe o no debe hacer con sus hijos. Esa conducta crea un muro entre los dos y el padre se llenará de resentimiento. Se desquitará ocultándole información. Ésa es una situación muy difícil para los hijos. La madre sólo quiere lo mejor para sus hijos, pero su conducta controladora, que es una manifestación de su furia y resentimiento, causará más problemas. El padre desea establecer una relación personal y exclusiva con sus hijos, para mostrar su capacidad como padre, pero al mismo tiempo puede estar haciendo cosas sólo para herir a su ex esposa. Esto solamente creará malentendidos y falta de confiaza para los hijos, quienes, por lo general, lo sufren en silencio. Muchas veces los padres están tan atrapados por sus propios sentimientos, que no pueden ayudar a sus hijos a atravesar sus propios procesos de pena. Los padres incluso pueden dejar de lado los sentimientos de los hijos, porque ellos mismos son incapaces de manejarlos. Los padres deben tomar el mando en la situación y estar atentos a los cambios de humor y de conducta de los hijos. Está en manos de los padres ayudar a sus hijos a que se expresen.

Otro problema surge cuando uno de los progenitores lleva a casa a una nueva pareja. El niño puede sentirse amenazado por el nuevo personaje desconocido. "¿Ella ya no me quiere más? No soy suficiente. Tal vez me interpongo y tendré que marcharme." Y agregado al miedo que tiene el hijo de perder a uno de sus padres, por causa de otra persona, el otro progenitor puede criticar o condenar a la nueva pareja. Eso sólo agrega confusión a la inseguridad. En esta situación, la pregunta más importante que los padres deben hacerse es: "¿Qué es lo mejor para el bienestar psicológico y emocional de mi hijo?". Los padres necesitan ponerse en el lugar de sus hijos y ser brutalmente honestos. Deben darse cuenta de que sus hijos absorben sus conductas negativas, no sólo emocional y psicologicamente, sino también físicamente. Los niños no comprenden por qué se sienten mal o deprimidos. Son como esponjas que absorben la desolación de sus padres.

He hecho lecturas para unos pocos niños durante mi carerra profesional. Por lo general, no están preparados para entender en su totalidad o expresar los sentimientos, pensamientos y sensibilidad psíquicas. Hice una lectura para un chico cuyo entrenador había muerto. El espíritu aseguró al chico que estaba bien en el cielo. El niño estaba muy aliviado. Creo que la mayoría de los niños quiere saber eso de los adultos que los dejan. Quieren saber que todo está muy bien. Quieren saber que no les ha pasado nada malo. Y finalmente, quieren saber que mamá o papá son seguros.

Ayudar a la curación de un hijo

Como padres, debemos ser sensibles a los sentimientos de nuestros hijos durante ese difícil tiempo de sus vidas. Hablen con sus hijos. Háganles saber lo que está sucediendo. Expresen ante ellos las emociones del corazón, pero no se culpen uno con el otro. No se trata de convertir a los hijos en árbitros de una pelea. Ni tampoco en convertirlos en chivos expiatorios.

Lo peor que pueden hacer los padres es ocultar el divorcio a los hijos. Lo mismo se aplica a ocultar una muerte a un niño. Los padres creen que están protegiendo a sus hijos de un dolor innecesario, pero eso sólo hace que el niño se sienta dejado de lado, como si no importara. Trata a tu hijo como te gustaría que te trataren. Que sepa que es una parte integral de la unidad familiar. Y proporciona esa comunicación de acuerdo con la edad y el nivel de comprensión del niño. Si es muy pequeño, tal vez la situación se comprenda mejor por medio de dibujos o fotos o con referencias a cosas que pertenezcan al mundo del niño. Si es mayor, siéntate y ten una sincera conversación. Es imprescindible que los padres hablen con sus hijos y los ayuden a verbalizar sus sentimientos y preocupaciones íntimas. Sin embargo, no esperen que un niño responda o reaccione como un adulto. Ellos tienen la tendencia de no hablar de sus emociones, suelen fingir y los padres deben observar los modelos de conducta. ¿El niño está malhumorado o apático? ¿Se queda mucho tiempo solo o sale hasta muy tarde? Nuestra tarea como padres es prestar atención a nuestros hijos, no que suceda lo contrario.

Lo más importante que uno puede hacer es mostrar amor, preocupación y apoyo. Incluya a sus hijos en cualquier conversación que pueda ayudarlos a expresar su dolor y pérdida. Que siga habiendo un clima de amor en el hogar. Los padres siempre pueden pedir amor en los abrazos con sus hijos. Eso puede ayudar a sus hijos a darse cuenta de que ellos son una parte importante en el proceso de curación que usted vive y también reforzará el vínculo que los mantiene muy unidos. Un hijo necesita saber que todavía lo aman, no importa en la forma que cambie la vida.

Es difícil, en el mejor de los casos, identificar cómo siente un niño o cómo sufre el duelo. A veces pasan años antes de que un hijo te diga que se sentía culpable por tu divorcio. Ésa es la causa por la que los padres necesitan discutir el asunto con los hijos lo antes posible. El hijo debe saber de boca de sus padres que no es el culpable del divorcio y que no lo están castigando por algo que hizo mal. Uno no quiere que esos pensamientos negativos se pudran en el interior del niño y años más tarde aparezcan como un complejo de inferioridad que los lleve a conductas terribles como el alcoholismo, la drogadicción o la violencia.

Una vez que han compartido el asunto con los hijos, permitan que hagan preguntas y ofrezcan soluciones a los problemas. Permitan que se involucren. Cualquiera que sea la situación o las limitaciones entre la pareja, ambos padres necesitan establecer una relación amistosa para el bienestar de los hijos. Crear una atmósfera positiva en la que los hijos se sientan seguros de poder preguntar y proponer cosas. Los padres suelen explicar a sus hijos que todavía pueden amar a otra persona, pero no vivir con ella. Dejen que sus hijos sepan que él o ella es parte de la familia. Por sobre todo, aseguren a sus hijos que están protegidos y los aman mucho.

PAUTAS PARA LA CURACIÓN

- Date permiso para pasar por todo el preceso de curación.
- Valora tu matrimonio. ¿Qué es lo que sientes? Establece
y analiza la situación en todos los niveles: emocional,
mental, espiritual y físico.
- Relájate y medita. Busca un estado centrado y de equilibrio. Cuando uno está centrado y adecuadamente fun-
damentado, todo es más fácil de manejar. Puedes ver las
cosas desde una perspectiva mucho más clara, al no
permitir que tus emociones nublen tus pensamientos.
- Deja de sentirte la víctima. Comienza a tomar el control
de tu vida, en lugar de sentir lástima de ti mismo.
- Pon energía positiva en todas las zonas de su vida. Haz
todo lo posible para ver esto como una renovación de tu
persona y otra oportunidad en la vida.
- Empieza a soltar. Deja de tratar de controlar la situación.
Da vuelta tu furia y usa la energía de ese sentimiento para tratar la situación en una forma positiva.
- Desarrolla y establece una red de apoyo de amigos y
grupos sociales para empezar una vez más la vida como
una persona soltera. Eso puede incluir tomar clases o
empezar una nueva carrera. Date tiempo para investigar
cada opción posible y cada actividad en la que puedas
tener interés.
- Ponte al tanto de los efectos del divorcio y la pena por
medio de libros, seminarios, e incluso Internet. Hay
muchísima información disponible. Aprende lo que necesitas para reconstruir una nueva vida.
- Cálmate y tómate tu tiempo. No tienes que hacer todo
de inmediato. Tienes que darte un espacio bien ganado
para respirar. No te arrojes sobre otra relación sin darte

tiempo para vivir el duelo y recuperarte. Esto no sería justo para la nueva persona.

§ Crea una nueva unidad familiar para tus hijos. Necesitas restablecer la familia y los roles parentales en esta nueva situación, excluyendo cualquier forma de control y manipulación. Es necesario discutir arreglos financieros, cambios de colegios y los tiempos de visitas. Hay que hacer eso de la forma más amistosa posible, por el bien de los hijos.

§ Desarrolla tu nueva vida incluyendo a tus hijos en el proceso de decidirla.

§ Mantén un diario de tus sensaciones y de la situación y de lo que te gustaría en el futuro.

§ Perdona a tu pareja y a ti, aun cuando no puedas racionalizar el divorcio. Trata de comprender los sentimientos de la otra persona. Date cuenta de que la persona que alguna vez amaste, ha cambiado. Deja que se vaya y deséale el bien. Ésta es una lección para ambos. A la larga, ambos serán mejores.

§ Recuerda que nunca estás solo. El amor te rodea, no te lo han quitado. Estás hecho de amor y esta tierra es rica en nuevas oportunidades para amar otra vez.

7

Travesías

Nadie nos enseña a esperar el fracaso, la enfermedad, la pobreza y a envejecer. Todo lo contrario. Nos han preparado para convertir nuestras vidas en exitosas, a ser todo lo que podamos ser, ir tras eso y simplemente hacerlo. ¿Pero qué sucede cuando una crisis, como puede ser una enfermedad o un desastre, aparece en nuestra vida? La mayoría de nosotros entra en un estado de conmoción. No sabemos qué hacer. Somos incapaces de manejarlo. Cualquier pérdida, incluso una menor, es importante. ¿Entonces, cómo enfrentamos la crisis y la pérdida en nuestras vidas? La respuesta es que sufrimos.

Cuando nuestras vidas son perturbadas por la muerte de un ser querido, de inmediato nos encontramos viviendo la pena y el dolor. Vivir el duelo es una consecuencia natural. Pero la pena es algo complejo y mucho más abarcador que la muerte del cuerpo. Hay una cantidad enorme de experiencias de vida que también podemos sentir ante una pérdida. Algunas son necesarias porque nos obligan a cambiar, avanzar y dejar cosas. Por consiguiente, nos encontramos en el proceso del duelo debido a esas mismas razones. Son pérdidas necesarias, tales como envejecer o que nuestros hijos se vayan de casa. Otras experiencias de pérdida incluyen enfermedades crónicas, jubilación, pérdida del trabajo, de la casa o de los ahorros, desastres como inundaciones o incendios, accidentes, pérdida del hogar, incapacidad, enfermedades mentales, infertilidad y cuidado de los ancianos o enfermos. Todavía quedan pérdidas más ambiguas, como la pérdida de nuestra confianza, memoria, libertad, poder, dignidad o no poder alcanzar una meta, un sueño o una expectativa.

La vida diaria está llena de vínculos y de inversiones en alguien o algo. Estamos tan atrapados en esos vínculos, que creemos que durarán para siempre. Sin embargo, cuando algo se termina o nos lo quitan —cuando nuestra salud falla, nuestro dinero disminuye y nuestros hijos se van—, entonces experimentamos la vulnerabilidad de la pérdida y las etapas del duelo. Estas experiencias de la vida nos perturban emocionalmente, pero a veces no sabemos que estamos sufriendo. Tal vez pensemos que ni siquiera tenemos derecho a sentir pena. Debemos comprender nuestros sentimientos y conductas ligadas a una pérdida y darnos cuenta de que, por duro que parezca, es a través de la pérdida que nos desarrollamos y crecemos.

La vida es una serie de idas y vueltas y por cierto está llena de estrés, infelicidad e incertidumbre. Vemos todo eso que nos rodea. La negación y el aislamiento impregnan gran parte de nuestras vidas. Comprendemos vagamente el motivo de nuestra depresión, confusión, rechazo o furia. Nuestras costumbres, el condicionamiento de la primera infancia y el ego son también influencias que nos gobiernan para un lado o el otro. No hay respuestas simples para nuestra desazón. Incluso que yo te diga que te sientas mejor no necesariamente significa que lo conseguirás. Ésa es tu elección. En un nivel espiritual, tenemos promesas que cumplir y lecciones que aprender. En las vueltas y giros del camino de la vida, siempre hay momentos para aprender sobre nosotros mismos.

Cuando la vida se interrumpe por una pérdida, podemos seguir o detenernos. Si empujamos nuestros sentimientos de pérdida y dolor hacia un costado, permitiremos que la desesperanza y la impotencia penetren en nuestro ser. Si nos conectamos con lo que estamos sintiendo y aprendemos de ello, entonces tendremos la oportunidad de avanzar más allá del dolor. Tenemos que pasar por el proceso del duelo y descubrir por nosotros mismos las oportunidades que nos esperan más allá de nuestro sufrimiento.

El mundo espiritual me ha inculcado una profunda enseñanza y es ésta: estamos aquí para aceptarnos a nosotros y al mundo que nos rodea, con amor y compasión. Si podemos aprender esto, estaremos más satisfechos. Nos sentiremos mejor con nosotros mismos y disfrutaremos de lo que tenemos. Comprenderemos que el cambio es inevitable y nos sentiremos lo suficientemente bien como para manejar lo que sea que aperezca en nuestro camino. Podremos deshacernos de las cajas de Prozac o las botellas de alcohol o lo que sea que nos aturda. Podremos comprender que lo que nos pasa es una experiencia que tiene un propósito y ese propósito está relacionado con nuestro crecimiento espiritual. Como lo dije en *Alcanzando el Cielo*, venimos aquí para que nuestras almas puedan evolucionar. Ése es el único viaje que vale la pena.

PÉRDIDA DEL HOGAR

Perder nuestra casa por un desastre natural, la vejez o una pérdida financiera, o porque nos estamos reubicando a causa de un nuevo trabajo y nos vemos obligados a mudarnos, todo eso es causa de un duelo. Aunque deseemos mudarnos, cambiar nuestro lugar de residencia es un hecho altamente estresante. Puede ser algo muy perturbador y atemorizante. Confiamos en haber elegido lo correcto, pero estamos inseguros, porque no sabemos qué esperar. Si estamos obligados a mudarnos, entonces los sentimientos de ansiedad se agravan. Cuando nos alejamos de nuestro hogar o lo perdemos,

perdemos también una parte de nuestra identidad. En nuestro antiguo hogar tenemos amigos y conocidos. Cuando nos mudamos a un nuevo lugar, nos volvemos invisibles. Nadie nos conoce y nosotros no conocemos a nadie. Nos sentimos inquietos, deprimidos e incluso en estado caótico. Las habitaciones están llenas de cajas, nada está en su lugar. Nos preguntamos qué nos sucederá en ese nuevo lugar. Todo nos resulta desconocido y nuestra parte humana tiende a aferrarse a lo que le es familiar. Nos preguntamos si volveremos a sentirnos cómodos. Si nuestras vidas volverán a la normalidad.

Los padres también tienen que considerar los sentimientos de los hijos. Es frecuente que los chicos sufran mucho más que los adultos con las mudanzas. Están perdiendo sus compañeros de colegio y sus amigos. Esto es muy difícil para un niño. Cuando estaba en la escuela primaria, uno de mis mejores amigos se mudó, porque su padre había perdido el empleo y tenían que ir a vivir con unos parientes. Fue un día muy triste para mí. Él tampoco estaba feliz, pero lo disimulaba por su familia. En esa época, la gente no se mudaba mucho, así que hacerlo era un gran acontecimiento. Nos prometimos seguir en contacto y él me llamó una vez. Después de eso, nunca más tuve noticias. Fue como si hubiera desaparecido de la faz de la tierra. Estoy seguro de que le resultó muy difícil adaptarse al nuevo colegio, a los nuevos amigos y a vivir con otros parientes. Los niños tienen la tendencia a volverse callados e introvertidos, como si los hubieran dejado de lado. Sienten que no encajan en las pautas ya establecidas. Es muy atemorizante y se "enferman" mucho en el primer año de acomodación, simplemente para quedarse en casa. Los chicos no pueden expresar exactamente cómo se sienten, todo lo que saben es que no pertenecen a ese lugar. Han perdido la identidad, porque sienten que su antiguo yo se ha refugiado en su anterior ambiente familiar. Debido a que es tan desgastante emocionalmente para los hijos, es importante que les hablemos durante ese período.

Mudarse muchas veces significa que también vamos a pasar a otra zona de nuestra vida, por ejemplo empezar o cambiar de carrera. Cuando me mudé de Nueva York, tardé un tiempo en habituarme a las costumbres de California. Por lo pronto, tuve que conseguirme un coche, algo que no necesitaba en mi ciudad. Tuve que hacer amigos, ya que no conocía a nadie en Los Angeles. Tenía muchísimos amigos que me conocían desde el colegio en mi antiguo hogar, pero en mi nuevo lugar era apenas una sombra. Tuve que averiguar dónde podía hacer revisar mi coche, y cuáles eran los lugares buenos para comer y toda esa clase de cosas. En esencia, tenía que construirme una nueva vida. Por un tiempo, me sentí deprimido porque extrañaba a mi familia, mis amigos y todo lo que amaba y valoraba. "La gente me conoce allá en casa, aquí no me conoce nadie. Tal vez esto sea un gran error. ¿Por qué decidí mudarme?" Todos esos pensamientos pasaban constantemente por mi mente. Yo quería establecer una nueva vida al comenzar una carrera en televisón. Tenía que estar en el lugar que me pudiera ofrecer esa posibilidad. Así que, con todas mis ansiedades y mi desconfianza, me veía obligado a decidir si me quedaba para tratar de alcanzar mi sueño, o regresaba a casa, donde me sentía cómodo. Dejar atrás era necesario, aunque fuera doloroso. Después de unos dos años, por fin comencé a sentirme en casa.

Cuando veo desastres en las noticias de televisión, veo cómo una cantidad de gente pierde sus casas y todas sus posesiones personales. Mirarlo es doloroso y sólo puedo imaginar lo doloroso que será para los que sufren esas pérdidas. Ésos son momentos para vivir el duelo. Dejar nuestros hogares, mudarnos a otra casa, sea en la misma zona o en otro estado, nos llena de tristeza, nos desequilibra y nos desanima. Es normal que suframos por nuestra pérdida. A menudo es difícil porque, al mismo tiempo, intentamos hacer que nuestra vida vuelva a ser normal. Si nos mudamos a otro lado, tenemos que hacer nuevos amigos. Eso, por lo general, significa poner buena cara, aunque no nos sintamos felices. Así que ocultamos nuestros verdaderos sentimientos en público y, en privado, los dejamos salir en secreto. Empezar de nuevo, sea en una nueva casa, un trabajo nuevo, una nueva carrera o una nueva forma de vida, puede provocar una sensación de desesperación. Nos sentimos completamente vulnerables. Desde el momento en que nos damos cuenta de que estamos dejando atrás lo conocido —nuestros seres queridos, amigos, tal vez ciertos lugares y acontecimientos cargados de significado— comenzamos el proceso del duelo. Nuestras emociones recorren la escala desde la furia y la desesperación, al miedo, la tristeza y la nostalgia por lo que alguna vez tuvimos.

No trates de dorar la píldora a tus sentimientos. Date permiso para sentir. Es probable que al principio experimentes tristeza. Cuando llegas a tu nueva casa, puedes sentirte aturdido o indiferente. Puedes enojarte contigo mismo, con tu pareja o tus hijos. Tus hijos pueden sentir mucho resentimiento hacia ti y tú hacia ellos. Considera que esos sentimientos son normales y que, finalmente, se calmarán.

La mayoría de nosotros quiere evitar el dolor de la pérdida y el duelo. Estamos tan programados para pasarlo por alto, o seguir adelante o "continuar con nuestra vida", que ocultamos cualquier sentimiento que sea contrario al punto de vista de la sociedad. Cada vez estoy más convencido de que esos sentimientos reprimidos emergen en nuestro mundo bajo la forma de violencia. No podemos expresar, no expresamos o tenemos miedo de parecer vulnerables ante los otros. En lugar de eso, nos lanzamos en nuestros coches como "el terror de la ruta", o en nuestro lugar de trabajo o con nuestra familia, desquitándonos con una conducta abusiva. Es necesario que respetemos nuestros sentimientos, de lo contrario, no comprenderemos los sentimientos de los demás. Si queremos estar mejor, tenemos que pasar por esos complejos sentimientos. Vivir el duelo es, en realidad, beneficioso. Nos ayuda a dejar atrás, a seguir adelante y a adaptarnos. Mientras más flexibles nos volvamos en nuestros pensamientos y en nuestra existencia, más nos abriremos al crecimiento y conocimiento de uno mismo.

Cuando era un niño, mudarse de casa en casa era raro. La gente en general se quedaba en un lugar. Pero en la actualidad, la gente se muda mucho. Nos hemos convertido en una sociedad inquieta, que se desarraiga de ciudad en ciudad y en diferentes Estados y países. Los miembros de una familia viven a cientos de kilómetros unos de otros. No nos quedamos el tiempo suficiente en un lugar como para establecer las raíces y conexiones que mantienen a una comunidad fuerte y saludable. Esto es simplemente un hecho de la vida. No obstante, la naturaleza humana desea un lugar de pertenencia.

Para aquellos que se han convertido literalmente en gente sin casa, las perturbaciones tienen aún mayores complicaciones psicológicas, tales como morbosidad y desesperanza. Cuando vemos en las calles a los sin techo, creo que nos perturbamos porque pensamos: "Gracias a Dios no soy yo". O nos enojamos al pensar: "¿Cómo alguien puede llegar a eso? No los quiero en mi vecindario". Vemos a los sin techo como una sociedad sin rostro, la mayoría sucios, muchos borrachos y desquiciados. Es frecuente que no tengamos mucha compasión por esa gente, porque pensamos que podrían hacer algo por ellos y ni siquiera lo intentan. Pero todos somos seres transitorios en esta tierra. Mucha gente no puede acomodarse a nuestro mundo apurado y otros simplemente no lo intentan más, pero eso no quiere decir que una persona que vive en la calle sea inferior. En realidad, la mayoría de nuestros vagabundos, son enfermos mentales y nosotros solemos tratarlos como si fueran leprosos. No sólo han perdido sus hogares y su identidad, también han perdido el amor de su familia y amigos y el respeto por ellos mismos. Por favor, recuerden que cada persona que vive en la calle es amigo o pariente de alguien. Hay una frase que viene bien aquí: "No juzgues a un hombre hasta que hayas caminado un kilómetro en sus zapatos". Si no podemos hacer nada más por esa gente, podemos enviarles pensamientos positivos, e imaginar sus almas como saludables y plenas. Recuerden que todos somos parte de la energía de la fuerza de Dios y que lo que demos mental, emocional y físicamente nos será devuelto del mismo modo.

Salir adelante con la enfermedad

Cuando alguien se enfrenta con una enfermedad grave o crónica, se está enfrentando con su propia mortalidad. No sólo sentirá que se agota su capacidad física y funcional, sino que enfrentará el miedo último: la muerte del cuerpo. Una de las reacciones más comunes es sentir una pérdida de control sobre la propia vida. Con una enfermedad terminal, uno siente la pérdida del futuro y del papel que representaba en la sociedad sin restricciones. Las familias no sólo se enfrentan con la pérdida de la vitalidad de su ser querido y de su lugar dentro de la familia, sino también a la pérdida de su forma de vida normal. Hay remordimientos y arrepentimiento por lo que fue y ya nunca volverá a ser. Hay una pena y un dolor profundos. Así sucedió exactamente cuando mi madre tuvo el ataque de parálisis. No sólo ella sufría, sino que debíamos verla sufrir, sintiéndonos inútiles y desesperados. Veíamos a una mujer absolutamente maravillosa desmoronarse y no había nada que pudiéramos hacer, salvo tratar de que estuviera lo más cómoda posible mientras se iba deteriorando.

También hay cuestiones prácticas de la que hay que preocuparse, tales como visitas del médico, enfermeras y gastos relacionados con la enfermedad. Los miembros de la familia pueden terminar con resentimiento por la enfermedad del ser querido. Es normal, las tareas diarias se desorganizan. El observar cómo se deteriora la salud de la persona que amamos, no sólo es atemorizante, sino que nos recuerda nuestra propia vulnerabilidad a la enfermedad. En un momento, todo lo que considerábamos rutina es arrancado. Si somos los encargados del enfermo, pasamos la mayor parte del día enfocados en la enfermedad: llamar al médico, análisis, medicamentos, internación y cosas semejantes. Queda muy poco tiempo para ocuparnos de nuestras necesidades. De manera que no sólo sentimos la pérdida de la persona a la que estamos ayudando, sino que estamos perdiendo nuestra propia identidad por la enfermedad. Si la enfermedad se prolonga durante un tiempo largo, podemos sentir que nos están robando años de nuestra vida.

Yo tuve personalmente la experiencia al ocuparme de enfermos, cuando trabajé de voluntario durante la crisis del sida en los años 80. Como la mayoría de los voluntarios pasaba muchas horas ocupado en las cosas diarias, las necesidades básicas de la gente con esa enfermedad. Los acompañaba a las citas con el médico, les daba los remedios, me ocupaba de que tuvieran provisiones, los ayudaba con los formularios del seguro médico, los visitaba en el hospital, y cosas de ese tipo. Después de un tiempo comencé a reconocer a mucha gente como miembros de mi familia extendida. Mientras la enfermedad debilitaba el cuerpo y la mente de la persona, debía permenecer a su lado u observar sus sufrimientos y su muerte. Recuerdo haber asistido a docenas de funerales, todos en un corto tiempo. Como las víctimas en la guerra, mucha gente

murió en poco tiempo y resultó abrumador. Hasta que, finalmente, la enfermedad se cobra también en los voluntarios y
después de unos pocos años, tuve que abandonar el servicio.
Como muchos voluntarios, estaba consumido. Vivía en un
estado constante de duelo por la pérdida de tantos amigos por
esa enfermedad. En cierta forma, sentí que dejaba asuntos sin
terminar, pero por difícil que fuera, debía seguir adelante. De
esa manera, tenía que volver a recuperar mi vida. Creo que
todos los cuidadores enfrentan ese dilema. Uno necesita saber
cuándo es el momento de pasar la antorcha a otro y pasar por
el proceso del duelo.

Si tienes una enfermedad y enfrentas tu propia muerte,
estás en el proceso de un verdadero duelo. Tienes que llegar a
entender que ya no puedes controlar tu vida en la forma en
que lo hacías antes. A menudo tendrás que dejar las decisiones
sobre tu salud en manos de otros. No hay palabras para los
sentimientos que uno enfrenta cuando el final está cerca. Para
la mayoría en esta situación, la depresión es muy común. Estás
forzado a abandonar la esperanza, los sueños y cualquier deseo
futuro. Estás catalogada como persona enferma y todo lo que
haces y lo que hacen por ti se verá desde esa perspectiva. Si
tienes status y poder en la comunidad o en el trabajo, ya no
serás considerado de esa manera. Si eres responsable del sus-
tento de tu familia, tendrás vergüenza por haber abandonado
todo. Es como si te hubieran arrancado tu identidad, para
reemplazarla por una nueva, una que indica que ya no eres una
persona útil; en lugar de eso, eres una carga para tus seres queridos. Esta nueva identidad dura hasta el final de tu vida y es
devastadora para tu autoestima.

La gente que pierde un brazo, una pierna, la vista o el oído,
también se siente, en cierta medida, inadecuada y sin valor. La
amputación de cualquier parte de nuestro cuerpo es motivo de
una profunda pena y abatimiento. Nos identificamos tanto con

nuestro cuerpo, que creemos que ya no somos individuos completos. Mucha gente se ve a sí misma como monstruos porque les han cortado una parte y la han perdido para siempre. Muchos temas de autovaloración y autoestima deben replantearse. Algunas personas son capaces de vencer esa autoaversión y vivir la vida con una nueva perspectiva. La mayoría de la gente en silla de ruedas, ciega o sorda nos demuestra que la vida todavía puede vivirse al máximo. Lo vemos todos los días. Sí, hay una pérdida en el cuerpo, pero nunca una pérdida en nuestra alma, nuestra divinidad y nuestro verdadero ser.

Cuando una mujer enfrenta la noticia de que tiene un cáncer y tienen que practicarle una mastectomía, debe lidiar con una serie de emociones entremezcladas. Debido al peso que la sociedad pone en la mujer, ésta siente la pérdida de un seno como la pérdida de su belleza, femeneidad y de su identidad como mujer. Esto se une a la ansiedad de que el cáncer se expanda. He conocido muchas mujeres que han recordado esa experiencia en sus vidas como algo que les sirvió para la reflexión y el conocimiento de sí mismas. Hace poco, mi buena amiga Carol tuvo una mastectomía y le pregunté que sintió después de la operación.

—James, realmente abrió mis ojos para un montón de cosas en mi vida. Por lo pronto, ya no doy nada por hecho, ni un solo día. Ya no tengo tiempo para chismes, ni para la gente mezquina que se preocupa sólo por sus pertenencias superficiales. —Carol me confió que intenta encontrar la mayor alegría en cada situación de su vida. —Esto fue demoledor para mí, pero también fue una oportunidad para revalorizar a mis verdaderos amigos. La mayor parte de mi vida me resultó muy difícil aceptar nada de nadie. Yo era habitualmente la que daba y era impensable para mí estar en el papel del que recibe. Pero poco a poco tuve que llegar a un acuerdo con ese modelo de cumplir con todas las expectativas de los demás sin pedir nada para mí. Siempre pensé que estaba mal hacerlo. Tuve que aprender a recibir el amor que la gente quería darme o lo que fuera que quisieran darme. Fue muy difícil reacomodar mis ideas. En realidad, tengo que obligarme a apreciar la bondad y la ayuda de los demás. Me doy cuenta de que creía que no merecía ser amada o incluso considerada como una persona con algo para ofrecer. Sentía que si hacía cosas por los demás les iba a gustar y pensarían que era una buena persona. Me estaba mintiendo a mí misma. La mayoría del tiempo me sentía estafada y resentida y casi nunca me sentía amada.

Carol me dijo que después de su mastectomía, le queda muy poco tiempo para dedicarlo a la abnegación. Me sentí impresionado por la forma valiente en que manejó su vida después de la operación. Ahora que lo pienso, creo que adquirió una actitud muy saludable. Ya no está motivada por el temor. En cambio, comprendió que tiene una oportunidad para cambiar las partes de su vida que eran falsas. Se abrió a la posibilidad de ser más amada de lo que lo fue nunca. Me dijo: "Es una sensación grandiosa saber que no eres tus pechos o cualquier otra parte de tu cuerpo físico. Que eres un alma encerrada en un cuerpo y que ésa es la parte que necesita ser alimentada y completada".

Por suerte para Carol, su cáncer pudo ser tratado y actualmente está bien y en vías de recuperación. Mientras enfrentaba lo que pudo ser una enfermedad terminal, decidió tener una perspectiva totalmente nueva de la vida. Para aquellos cuyas enfermedades no son curables, también deben darse cuenta de eso. Una de las cosas que aprendí de mis amigos espirituales es que somos más que nuestros cuerpos y que debemos comenzar a concentrarnos en la parte espiritual de la vida, en especial, si la hemos descuidado. Ése es el momento de hacer arreglos, atar los cabos sueltos y decir todas las cosas que temían decir.

Hablen con su familia y sus amigos. Dejen que sepan lo que ustedes sienten, pero traten de no culpar a los demás. Es frecuente que estemos tan aislados de nuestros sentimientos, que no sepamos expresar nuestro verdadero ser. Pero uno puede usar la enfermedad como una oportunidad para poner atención en uno mismo y escucharse interiormente. En medio de la confusión, puedes sentirte solo, con miedo, enojo, descorazonado, desagradable, abandonado y con lástima por ti mismo. Puedes sentir envidia de aquellos que están sanos y llenos de vida. Los miembros de la familia pueden sentirse abrumados, sobrecargados y aturdidos. Si no puedes hablar con un miembro de tu familia, es importante que busques el apoyo de un grupo o de un terapeuta. Y lo mismo sirve para los demás que están involucrados. Debes darte cuenta de que tú y tus seres queridos están pasando por diversas etapas de pérdida y dolor. La ayuda siempre se consigue y está en cada uno de ustedes aprovechar todo lo que alivie la pena y el sufrimiento. Si estás demasiado débil, todavía puedes hacer las paces en tu interior por todas las heridas, errores, palabras malévolas y deudas que puedes haber acumulado durante tu vida. Llegar a un entendimiento con tu propia falibilidad facilita tu transición en el mundo siguiente.

La enfermedad física es bastante difícil, pero la enfermedad mental parece ser un esfuerzo mayor para nosotros. Las enfermedades mentales graves casi siempre alteran drásticamente la vida de una persona. Las señales y síntomas de la enfermedad mental no son sólo desconcertantes sino también atemorizantes. A menudo las familias se perturban mucho por el ser querido con una enfermedad mental porque no pueden cuidarlo en una forma normal y racional. Las enfermedades mentales todavía se consideran como un estigma. Los miembros de la familia tratan de ocultar la vergüenza de tener un enfermo mental en la familia y, a menudo, lo culpan por haberse enfermado. El estigma social hace que las familias lo nieguen y se aparten. Puede significar que lo internen o, peor, que corten todos los lazos y lo dejen que se arregle solo.

Las enfermedades mentales siguen siendo una molestia para nuestra sociedad en conjunto. Como ya dije, la mayoría de la gente que vive en la calle son víctimas de una enfermedad mental. Una serie de dolencias entra en esta categoría, incluyendo esquizofrenia, paranoia, depresión, fobias, conducta obsesiva-compulsiva, síndrome de estrés postraumático, desórdenes de la alimentación e incluso senilidad. Las enfermedades mentales pueden ser causadas por diversos desequlibrios químicos. En algunas instancias, pueden ser el resultado de un ataque físico. Otra vez, en el nivel espiritual, no hay equivocaciones. Sin embargo, en un nivel humano, la familia sufre la pérdida de amor y afecto y normalidad de un ser querido. Pueden expresar su dolor como enojo, ansiedad e incluso odio por algo que encuentran difícil de comprender. Una amiga mía tenía una prima que sufría de esquizofrenia. Me contó en numerosas ocasiones lo difícil que había sido para la familia. "Por un momento es coherente y al siguiente cambia, como si algo crujiera en su mente y se vuelve completamente errática y paranoica. No podemos llegar a nada, ni discutir el tratamiento en forma racional. Tiene miedo a las drogas, porque cree que es nuestra forma de librarnos de ella. Deseamos poder saber qué es lo que tenemos que hacer, pero no lo sabemos. La gente quiere ayudarnos, pero no conseguimos que ella dé el primer paso. Es totalmente irritante y agotador. Todos nos sentimos inútiles".

Cuando cualquier clase de terrible enfermedad irrumpe en nuestras vidas, entramos en un estado de progresivo dolor. Como con cualquier duelo, debemos pasarlo y buscar las oportunidades durante esa pena y angustia. Tenemos que mantener nuestro foco en un cuadro más grande, porque todas nuestras experiencias tienen un propósito y un sentido. Tal vez debamos aprender a amar un poco más.

AMIGOS EN EL CIELO

Volviendo a 1994, recibí una llamada de una señora llamada Toni Sparo, que quería una sesión. Las circunstancias eran bastante desacostumbradas. Me dijo que me llamaba en nombre de su madre Gloria, quien tenía una enfermedad terminal y se suponía que le quedaban unos pocos meses de vida. Al principio pensé que se había equivocado o no entendía la clase de trabajo que yo hacía. Le pedí que continuara.

—Mi madre tiene miedo a la muerte y pienso que, si pudiera tener una sesión contigo, la aliviaría de su ansiedad y la dejaría prepararse para su inevitable muerte.

Estaba intrigado. Le dije a Toni:

—Esto es nuevo para mí, pero creo que es un regalo maravilloso para darle a tu madre. Estaré muy feliz de visitarla lo más pronto que pueda.

Varios días más tarde combinamos la cita y a las once de la mañana de un martes conduje hacia Hollywood Hills. Mientras buscaba la dirección, encontré una casita rosada, con varias personas que entraban y salían de ella. Estacioné el coche y me bajé y fui hasta la puerta.

Una mujer de mediana estatura, cabello castaño rojizo y una linda sonrisa me recibió.

—Entra, James —dijo Toni. Me hizo pasar entre la gente y entramos en un gran living.

Miré alrededor y de pronto me sentí muy pequeño ante los muebles grandes y recargados.

—¿Puedo ofrecerte algo para beber? —preguntó Toni.

—Sólo agua, gracias.

En un momento, Toni regresó con el agua. Luego me tomó de la mano y me condujo hacia otra parte de la casa. Me dijo en tono confidencial:

—Tiene buenos y malos momentos. Creo que hoy está muy bien, no tiene demasiados dolores. Le conté que ibas a venir hoy y cree que estoy loca. Ésa es su reacción ante cualquier cosa que trato de hacer por ella. Por momentos ha estado muy enojada. Maldice a todos, a su médico, a Dios, hasta a los perros.

—Eso es muy común en alguien con una enfermedad terminal —contesté—. Es que no les parece justo. Creen que se están muriendo antes de tiempo.

—Bueno, por favor, perdóname si te agrede. Lo hace sin querer.

—Voy a estar bien —le aseguré.

Pasamos por un pasillo y entramos en el dormitorio de la madre. De inmediato me invadió el olor a desinfectantes y remedios que llenaba la habitación. Era como entrar en un hospital en lugar de en un dormitorio. Miré alrededor y de inmediato vi la cantidad de tubos que salían de las máquinas que estaban al lado de la cama de Gloria y todo eso me sobrecogió. Del lado derecho de su cama estaban los remedios, colonias y elementos para la enferma. Había una silla que me imaginé reservaban para ella. También vi una cantidad de mantas, almohadas, videos, fotos y un aparato de televisión. Cada vez que visito a alguien muy enfermo, siempre me parece que los sanos no quieren que el enfermo se olvide de quiénes son y hacen todo lo necesario para que sus últimos días en la tierra sean sumamente confortables.

—¿Quién diablos eres? —dijo una voz fuerte que salía de una pequeña cabeza asomando de entre las sábanas.

—Mi nombre es James. Su hija quiso que viniera a hablar con usted.

—Mamá, yo te conté sobre James. ¿Recuerdas que Sheila

nos habló de él? Es el hombre que habla con los espíritus.

—Oh, claro, todo eso es un montón de basura —anunció Gloria.

—Oh, a veces yo creo que la vida es un montón de basura —respondí deliberadamente.

Toni me miró sorprendida y Gloria levantó la cabeza para observarme mejor.

Después de unos momentos, Gloria ordenó:

—Déjanos solos.

Toni comprendió el significado de mi actitud y, guiñándome un ojo, salió y cerró la puerta.

—Espero que no sea una pérdida de tiempo que hayas venido hoy, Jim —dijo.

En general, no me gusta que me digan Jim, pero en esta circunstancia, eso no importaba. Me senté en la silla que estaba al lado de la cama de Gloria y eché una mirada a su rostro. Me hacía acordar a la Sophia que representaba Estelle Getty en el programa de televisión The Golden Girls. Gloria podría ser la melliza de Sophia, en personalidad y todo lo demás.

—¿Qué es entonces lo que haces? —preguntó Gloria.

—Puedo ver y oír a los espíritus que han dejado esta tierra. Ellos comparten su forma de ser y me dan mensajes para que los repita.

—Bueno, no hay nada que quiera oír de esa parte. ¿Y de todos modos, qué podrían decirme? ¿Crees que tienen todas las respuestas? Yo no lo creo.

—Es verdad, no las tienen. Son muy parecidos en el cielo a lo que eran en la Tierra.

—¡Oh, entonces que Dios nos ayude! —se burló.

Los dos nos reímos. Hice todo lo posible para que se sintiera cómoda, sin imponerle mis creencias. Charlamos varios minutos, hasta que sentí que se sentía bien conmigo. Me di cuenta de que ella deseaba creer en que la comunicación con los espíritus era posible. Como con la mayoría de la gente, el lado racional de Gloria controlaba la imagen del mundo que la rodeaba. Tenía la esperanza de que ese día fuera un poquito diferente. Mientras conversábamos, empecé a meditar sin que ella se diera cuenta. Comencé a ver y oír a varias personas que deseaban hablar con Gloria. Mentalmente les pedí que se calmaran y hablaran de a uno, ya que era imposible con todos al mismo tiempo.

—¿Qué es lo que estás mirando, Jim? —oí que Gloria me preguntaba.

—No mucho. Sólo algunas personas detrás de su cama.

—Oh, sí, bien, ¿qué quieren?

Comencé a describir a cada persona.

—Hay una señora que creo que es su madre. Está muy feliz de estar aquí y me dice que usted es su tercera hija. Dice que Theresa está con ella. También me dice que el padre de usted está allí. Dice que él tiene una barra de jabón para usted porque ha sido una buena chica. ¿Entiende eso?

Miré el rostro de Gloria. Estaba boquiabierta. Me di cuenta de que estaba atónita.

—¿Cómo sabes eso? Mi Dios. ¿Toni te contó eso?

Le tomé la mano y le aseguré que ésas eran comunicaciones del mundo espiritual y que eran auténticas.

Tardó un momento en procesar todo lo que había oído. Luego levantó la vista y me dijo.

—Yo era la tercera hija en mi familia. Mi hermana Theresa murió de niña y mi papá, cuyo nombre era Tony, era dueño de una empresa que fabricaba jabón. Cuando yo era chiquita, llevaba a casa barras de jabón de la fábrica y me prometía que me las iba a dar si me portaba bien.

Gloria no sabía qué hacer con la información que yo le había dado. Sentí que intentaba racionalizar lo recibido. Esto era algo que ella no podía controlar. Lo pensó por unos momentos antes de preguntarme qué más decían los espíritus.

—Hay un hombre de pie, a su izquierda. Tiene pelo negro con mechones grises. Me dio el nombre de Mack. ¿Conoce a esa persona?

—Sí, así es. Mack fue mi primer marido. Se emborrachó hasta morirse.

—También me parece que fumó hasta morirse —agregué, al reconocer una zona cancerosa en sus pulmones.

—¡Tiene razón! Siempre tenía un cigarrillo en la boca. Qué gracioso. El bueno del viejo Mackie. ¿Cómo diablos estás, Mackie?

De inmediato, respondí:

—Todo bien aquí, Glo. Mi barco finalmente llegó.

Le expliqué a Gloria que ésas eran las palabras que había escuchado en mi mente. Me respondió:

—Esa era la frase favorita de Mack: "Espera a que mi barco llegue". Yo solía decirle: "Tu barco llegará cuando estés muerto y entonces no nos servirá para nada".

Gloria me explicó que Mack era el padre de Toni y que no era capaz de tener un trabajo estable para sostener a la familia.

—Nos divorciamos y yo me quedé con Toni y nos mudamos con mi madre. Pero seguimos siendo amigos y en contacto. ¿Cómo iba a seguir enojada con el padre de mi hija? Simplemente no estaba bien. Además, era un buen muchacho, pero le faltaba la responsabilidad para mantener una familia. Eso lo entiendo.

—Quiere que le diga que el cielo la está esperando y que no tiene nada que temer.

—¡Sí, él está allí, seguro que sí! —replicó Gloria, riendo al mismo tiempo.

Mack tenía más información sobre su hija Toni y sobre lo orgulloso que estaba por su amor y cuidados.

—Dice que Toni le enseña aún ahora a ser compasivo.

Mientras estaba terminando su mensaje, me interrumpió otro hombre llamado Joe.

—Este hombre tiene lazos con usted desde Nueva Jersey. Quiere que usted sepa que la muerte es muy natural y sin dolor.

—Para él es fácil decirlo, se murió mientras dormía. Lo hubiera matado por dejarme así —agregó.

—¿Quién era ese hombre? —pregunté a Gloria.

—Oh, fue mi tercer marido. Era un buen tipo, pero siempre trataba de decirme cómo había que hacer las cosas. ¡Como si alguien pudiera decirme algo!

Pensé para mí: imposible. No me atrevería ni a intentarlo.

—Está mencionando algo sobre el juego en Atlantic City. Dice que siempre lo pasaron bien y que había unos amigos con los que solían juntarse allí.

—Sí, es cierto. Betty y Earl. No he pensado en ellos durante años.

—Joe dice que debe estar en el cielo porque ha estado jugando póquer con Earl y ha ganado todos los partidos.

Gloria rió tan estrepitosamente que Toni golpeó la puerta para saber si todo iba bien.

—¡No podría ser mejor! —aulló Gloria—. Vete.

Miró por encima y me contó que Joe y Earl solían jugar todo el tiempo al póquer.

—Joe se quejaba de que Earl siempre le ganaba. Detestaba perder y pensaba que Earl hacía trampa para ganarle.

—Joe está diciendo lo sorprendido que estaba cuando llegó... que todo parecía tan real y que parecía fluir tan naturalmente. Está diciendo: "Todo está cordinado aquí. Nada está fuera de lugar y si es así, lo notas en seguida. Nada es vulgar aquí. Todo es como debe ser. Nadie debe preocuparse por las cosas, porque son atendidas de la forma en que el cielo quiere".

Gloria movía la cabeza y murmuraba:

—Qué lindo.

De pronto, me interrumpió la voz de una mujer, desde mi derecha.

—Es una dama llamada Betty —dije a Gloria—. Quiere que le diga que tiene un vestido azul esperando para cuando usted vaya y que usted se impresionará al ver lo joven que está.

Gloria pensó en lo que le acababa de decir. Se quedó tranquila por varios minutos.

—Oh, mi Dios, ese vestido azul. ¿Cómo podías saberlo?

Gloria entonces me contó la historia.

—Cuando éramos jóvenes, Betty y yo trabajábamos juntas y salíamos a almorzar todos los días. En el camino pasábamos por un negocio en especial, que tenía ese hermoso vestido azul en la vidriera. Creo que era importado de París o Italia. De todos modos, las dos solíamos imaginar cómo quedaríamos con ese vestido. Hicimos la promesa de que la que recibiera un aumento iba a comprar el vestido para la otra, como una prenda de nuestra amistad. ¿No es algo importante?

Gloria se quedó mirando fijamente al aire, como si atravesara el tiempo.

Continué con la sesión durante otra media hora, transmitiendo algunos maravillosos detalles emocionales. Gloria los recibió todos. En cierta forma supe que ella ya no tenía miedo a la muerte. Cuando me levanté de la silla, Gloria parecía estar feliz. Creo que había llegado a darse cuenta de que la enfermedad en su cuerpo era sólo un breve período de tiempo y que sabía que había alcanzado el fin de una vida bien vivida. Había una frescura en su cara y en todo su ser. Parecía como si no pudiera esperar para ver otra vez a su antigua familia y a sus amigos.

—Jim, muchas gracias. Bueno, decirte gracias no parece suficiente, pero gracias por haber traído algo de paz a una vieja señora.

Comencé a emocionarme y sentí que mis ojos se llenaban de lágrimas.

—¿Jim, podrías hacerme un favor? De verdad que no quiero dejar a mi hija Toni con un montón de problemas. Quiero ayudarla. ¿Crees que cuando me vaya, si quiero hablar con ella... ? —se le cortó la voz.

Sabía exactamente lo que ella quería.

—Estaré esperando para hablar con usted otra vez, desde cualquier dimensión en la que esté.

Gloria me agradeció, no tanto con palabras, como con sus maravillosos ojos y un apretón de manos que parecía no tener fin. Terminé ese día con una sensación de plenitud.

Puesta al día

Gloria murió pacíficamente mientras dormía, como le había dicho Joe. Eso sucedió tres meses después de nuestra sesión. Su hija me llamó y nos pusimos de acuerdo para una lectura. La sesión comenzó con su madre diciéndonos que ya no tenía sufrimientos.

—Ahora veo las cosas con mucha más claridad —dijo Gloria—. Comprendo mucho más que cuando estaba en la Tierra. Y todos están aquí conmigo. Joe, Mack, Betty, Earl, papá y mamá.

Gloria explicó que había aprendido que su enfermedad era un don para su alma.

—Tenía que aprender que no tenía el control de todas las situaciones de mi vida. Estar enferma era la única manera en que iba a aprenderlo. Tengo una mejor comprensión y más compasión por los demás. Cuando regrese la próxima vez, con seguridad voy a tratar a otra gente con mucho más cuidado.

Toni estaba feliz al oír a su madre hablar de su enfermedad

como un regalo de amor del espíritu.

—Me enseñó a recibir amor y a aceptar las cosas como son —agregó Gloria.

Le dije a Toni:

—Tu madre se da cuenta ahora de cómo trató de vivir la vida por ti y de que eso no estaba bien. Dice que tienes que vivir cada día como si fuera el último. Aprovecha la vida lo mejor que puedas.

Gloria continuó relatando que tenía un nuevo respeto por la vida. Habló del amor, no como una elección, sino como una realidad para vivirla. Habló de todas las cosas que nunca hizo, tanto como de todas las cosas lindas que pudo hacer. Agradeció a su hija por pensar en ella y haberle brindado afecto y alegría en sus últimos días.

—Está diciendo que decididamente está en el cielo porque está feliz, plena y amada. Te cuida a ti y a todos los que amó en la Tierra y los que están con ella la cuidan muy bien.

Las últimas palabras de Gloria fueron:

—Incluso estoy usando ese precioso vestido azul de seda que Betty me había prometido.

Crisis en la mitad de la vida

En una oportunidad, le pregunté a mi amiga que acababa de cumplir cincuenta años: "¿Qué quieres ser cuando seas grande?". Y me contestó: "¡Joven!". Supongo que todos nos sentimos así, en una sociedad que está irresistiblemente orientada hacia la juventud. Tenemos la sensación de que pasamos la curva y estamos fuera de juego cuando llegamos a los cuarenta. Creo que nunca pensé mucho en envejecer hasta este año que pasó. Estaba en una extensa gira por veinte ciudades, con motivo de mi libro, lo que significaba una gran cantidad

de sesiones, talleres y firma de libros, programas de radio y
televisión. Casi a diario viajaba a una ciudad distinta y había
momentos en que no sabía hacía dónde íbamos. En medio de
eso, tuve que volver al Este a visitar a mi padre, para ayudarlo
con algunas cosas que ya no podía manejar. Cuando regresé a
casa, tenía que comenzar a escribir este libro. Y también estaba
mi vida personal. Supongo que todos nos sentimos sobrecargados en cierta medida, pero yo me sentía agotado, como si no
pudiera recuperar el aliento. Fue un descubrimiento asombroso
darme cuenta de que ya no era un muchacho veinteañero y ya
no tenía la energía que solía tener. Era raro tener que admitir
que mi cuerpo decaía y que no había nada que pudiera hacer.
Con sinceridad, fue algo más que un mal día, fue un duro despertar. Me hizo sentir nostalgia por mi juventud y por los días
en que todavía tenía toda la vida por delante.

En la mitad de la vida, experimentamos una cantidad de
pérdidas que se relacionan en realidad con la pérdida de la
juventud. Algunos hombres eligen recobrar esa pérdida a
través de coches veloces y mujeres jóvenes, lindas y excitantes
y se pasan entrando y saliendo de las audiencias de divorcio.
Piensan que eso reemplazará la angustia y la ansiedad que
sienten por perder su virilidad o atractivo sexual. Las mujeres
escogen el camino de la cirugía plástica y las liposucciones,
porque creen en el mito de que la belleza es una manifestación
de la autoestima. Por desgracia, las revistas, la televisión y el
cine se ocupan de mantener ese mito activo en el subconsciente de las mujeres.

La edad mediana también hace surgir una gran cantidad de
incertidumbres. Los hombres pueden sentir que, en cualquier
momento pueden perder sus trabajos, para ser reemplazados
por empleados más jóvenes y con sueldos menores. Vemos que
eso sucede cada día en las noticias. Grandes empresas que se
"achican" y despiden a los trabajadores de mediana edad para

reducir gastos y mantener sus precios bajos. Los hombres, en especial, pasan momentos difíciles para superar la pérdida del trabajo. La autoestima de un hombre está protegida por su trabajo. Aunque tenga suficiente dinero para sobrevivir, siempre queda la ansiedad de perder todo lo que le costó tanto esfuerzo y de no poder cumplir con sus responsabilidades. Los hombres de mediana edad también tienen la tendencia a sentir nostalgia por el pasado, cuando las cosas eran más simples, menos caóticas y tenían menos presiones. Pueden sentirse confundidos, abandonados y sin importancia. Luego están las señales físicas de envejecimiento para un hombre y eso se manifiesta en la calvicie. Los hombres se sienten muy mal con esa pérdida. Decididamente es una lección desmoralizante para la autoestima y la imagen que tienen de sí mismos. La caída del cabello, para la mayoría de los hombres, significa la pérdida de su virilidad. Tal es el valor que adjudicamos a nuestra apariencia externa, que terminamos por identificarnos solamente con lo que vemos en el espejo.

Las mujeres, por otra parte, tienen cambios muy reales en la edad mediana cuando pasan por la menopausia. Los cambios químicos en el cuerpo de la mujer en esa etapa hacen aparecer una cantidad de temas complejos, que incluyen la imposibilidad de tener hijos, la pérdida de vitalidad física y de sexualidad. Problemas emocionales como depresión y cambios de humor pueden hacer que la mujer sienta que está "perdida". La menopausia es una experiencia diferente para cada mujer. Algunas tienen pocos problemas y otras, grandes dificultades. Una vez más, muchas mujeres están negativamente programadas para envejecer y temen volverse insignificantes. Nuestras actitudes juegan un papel importante en la forma de vivir la vida. En lugar de vivir con temor, podemos decidir creer que uno sólo mejora con la edad.

Además de los temas psicológicos con respecto al envejecimiento, la mujer también enfrenta temas físicos. Uno de ellos es que le practiquen una histerectomía. Cuando una mujer está en los veinte años y ha empezado a pensar en formar una familia, el impacto de una histerectomía es aplastante. Sus planes para el futuro se ven alterados dramáticamente y se ve obligada a pensar en cómo hará para que su vida valga la pena. La situación es muy diferente de la de una mujer que ya tiene cincuenta años y no quiere tener más hijos. Le pregunté a mi amiga Erica, de cincuenta y dos años, qué pensaba sobre ella misma después de que le practicaron la histerectomía. Me respondió: "No fue agradable. Sentí mucha pena, pero de algún modo lo pasé. Hubiera preferido no tener que hacerlo". Afortunadamente, Erica no experimentó esa montaña rusa emocional que todos le habían pronosticado. Sin embargo, muchas mujeres pueden sentirse desalentadas, cuando pasan por ciertas etapas del duelo.

Las mujeres también enfrentan, en la mediana edad, el síndrome del nido vacío. Creo que las madres decididamente se sienten perdidas cuando sus hijos se van de casa. Recuerdo que mi amiga Michelle me decía que ella recorría la casa todos los días después de que su hija se fue, para vivir en París. Decía: "Entro en la habitación de ella y me quedo mirando. Pensar en mi hijita creciendo y viviendo lejos me deja helada. Me siento muy sola. Todo lo que puedo pensar es en cómo nos divertíamos juntas. Es como si hubiera perdido a mi mejor amiga".

Los padres sienten a sus hijos como una extensión de ellos mismos y pasan momentos muy duros al separarse de ellos cuando crecen. Algunos tienen temores por la seguridad y el bienestar de sus hijos. Sienten que han perdido el control. Parte de dejar que los hijos se vayan, es permitir que se conviertan en individuos únicos. Sí, tenemos sueños y expectativas para ellos, pero, en verdad, depende de ellos que sean lo que ellos quieran. Tenemos que dejar ir a nuestros hijos, para que puedan aprender a sobrevivir solos. Es un tiempo de duelo, pero también de riqueza y libertad, no sólo para ellos, sino especialmente para nosotros. Con los hijos crecidos y viviendo por su cuenta, podemos recuperar nuestras vidas. Las exigencias de asumir la responsabilidad de crear una familia han disminuido y tenemos mayor libertad para ir y venir como nos guste. Vivir el duelo por esa etapa de la vida debería llevarnos a un optimismo y un entusiasmo nuevo por la próxima etapa.

Cuando somos jóvenes creemos que las cosas durarán para siempre. Nunca pensamos en enfermarnos o en envejecer. Cuando llegamos a los cuarenta y a los cincuenta, empezamos a mirar para atrás y a preguntarnos adónde se fue todo ese tiempo. Nos damos cuenta de que hay cosas que nunca realizaremos. Cualquier sueño de estar en el equipo olímpico ya está decididamente terminado. Podemos haber sido despedidos de un trabajo y creer que ya es muy tarde para empezar de nuevo. O peor, tenemos que aceptar un trabajo junto a alguien de veinte años. Tenemos que enfrentar la inevitabilidad de la jubilación, pérdida de ganancias y pérdida de poder y prestigio. Podemos sentirnos sobrepasados por las cosas que ya no podemos tener o esperar.

La pérdida de las ambiciones juveniles puede provocar una variedad de sentimientos. Aparece el descontento. Los sueños han muerto. Contemplamos lo que debió ser o pudo ser y nos arrepentimos de nuestros errores. Para algunos, la vida aparece como una gran desilusión. Nos preguntamos qué sucedió con nuestra fama, fortuna y triunfos. Pero no todas las vidas no deben llenarse de esa forma. Tenemos que darnos cuenta de que una experiencia está diseñada para el desarrollo de nuestras almas, no para obtener ganancias materiales terrenas.

Empezamos a pensar que la gente joven se dirige a nosotros como si nos hubiéramos vuelto estúpidos y lentos. Nos sentimos enojados, conmocionados y un poco atemorizados. Podemos sentirnos como si nos derrumbáramos. Creemos que en cualquier momento podemos tener un ataque al corazón. Por último, nos sentimos anticuados y obsoletos.

De la forma en que vivamos el duelo depende la percepción que tengamos de la importancia de nuestras pérdidas. Para muchos fue difícil crecer y mucho más envejecer. Pero en algún momento tenemos que dejar atrás nuestra imagen de juventud y aceptar la belleza de la edad mediana. Tenemos que tener en cuenta que cada edad tiene sus propias experiencias únicas. La edad mediana es un buen momento para hacer un autoexamen físico, mental y espiritual. Creo que es el tiempo en el que necesitamos centrarnos en las prioridades espirituales más que en las apariencias externas. En lugar de apresurarnos para seguir el ritmo de la nueva generación, necesitamos calmarnos y buscar cosas que llenen de sentido nuestras vidas. La naturaleza es perfecta. Siempre estamos en la edad correcta. No es el tiempo de mantenerse, ponerse al día o apresurarse para sentir que todavía tenemos una vida. No se trata de intentar escapar del terror a envejecer y morir, sino de ir más allá para encontrar un sentido más profundo de la vida. Eso no quiere decir que dejemos de hacer lo que hacemos. En lugar de eso, debemos examinar esas actividades para ver si son lo que deseamos y si nos ayudan a valorarnos a nosotros y al mundo que nos rodea. En la edad mediana es muy natural que nos cuestionemos nuestra vida, nuestros trabajos y nuestros intereses. Al mismo tiempo, es también normal que tengamos una sensación de pérdida y de falta de importancia. Recuerden que nuestras almas no envejecen. No cambian por los dolores, adversidades o placeres. Puede ser que no nos gusten las manchas y arrugas que vemos en el espejo cuando envejecemos, pero todavía somos y seguiremos siendo los mismos seres reales y sin edad a través del tiempo.

Envejecer

A diferencia de otras culturas que veneran a sus ancianos, nuestra sociedad los hace a un lado como a la basura del día anterior. En lugar de aprovechar su conocimiento y los años de ricas experiencias, nos burlamos de ellos como si fueran un montón de anticuados, pasados de moda, que ocupan espacio y consumen los recursos de nuestra economía nacional. Les otorgamos muy poco respeto a los ancianos. Los calmamos, les damos remedios y los alejamos, enviándolos a instituciones donde no tengamos que verlos ni oírlos nunca más. No creo que ninguno de nosotros espere con ansias un futuro donde seremos tratados así.

No se puede negar que vivimos en una sociedad que abraza a la juventud. Nos sentimos literalmente avergonzados de envejecer y parecer viejos. Estamos siempre dispuestos a hacer bromas sobre ancianitas y viejos cochinos que no encajan en la imagen de los medios de comunicación de belleza, salud, juventud y vitalidad. Nos han programado para creer que envejecer es inaceptable, sin valor y desagradable. Nos han hecho creer que ser jóvenes es la única posesión valiosa que tenemos. Por eso gastamos fortunas del dinero que nos costó tanto ganar, para conservarnos con cremas, cirugía, dietas y ejercicios. Es imposible no sentir la presión de los intentos de nuestra sociedad para mantenernos jóvenes.

La verdad ha sido distorsionada. Nos han enseñado al revés. En lugar de valorar a una persona por su interior, observamos las apariencias y rápidamente sacamos conclusiones. Cuando morimos, no importa nuestro aspecto, sino todo lo que hemos crecido como personas. Con esa perspectiva, necesitamos dar un giro de 180 grados desde donde nos encontramos y mirarnos en una forma completamente nueva. Lo único que importa es la bondad en el corazón de una persona y eso puedes saberlo al mirar a los ojos a alguien.

La mayoría de nuestros mayores está amontonado como individuos seniles, vacilantes, que no han dejado ninguna contribución. Se sienten impotentes y sin importancia. Cuando aceptan esa imagen de decrepitud, comienzan a derrumbarse porque eso es lo que se espera de ellos. En la medida en que cada vez seamos más los que envejecemos, creo que habrá cambios revolucionarios en la forma en que se trata a los ancianos. Hay mucha gente muy productiva y creativa de ochenta, noventa y hasta cien años. Son probablemente las personas con más aguda percepción que andan por este planeta, con capacidad para enseñar, enriquecer y beneficiar a las nuevas generaciones.

Todos esperamos vivir hasta una edad avanzada, pero cuando envejecer trae aparejado la pérdida de la memoria, enfermedades, falta de dinero y deterioro psicológico, la idea de envejecer se convierte en algo menos promisorio. Además de perder la libertad de ir y venir como les guste, los ancianos también pierden sus amigos. Se podría decir que están en un constante estado de duelo. Como la gente vive más, se encuentran sin rostros familiares. Sus seres queridos y sus amigos han muerto todos. Así que, además de temer a su propio fallecimiento, se sienten abandonados y olvidados.

Lo que la mayoría de los ancianos teme es perder el control de sus vidas. Sienten que se volverán débiles, desgastados y que terminarán en un geriátrico, donde otros tomarán decisiones por ellos. Sabía que ese era el gran temor de mi padre y tuve que asegurarle que no lo dejaría en un lugar así para morir. Sólo por saber que no lo haría a un lado, se sintió fortalecido. Sabía que podía controlar su vida. Podía mirar televisión cuando quisiera, comer cuando y lo que deseara y hablar por teléfono con su familia y amigos cuando tuviera ganas. Esas pequeñas cosas dan a una persona la conexión con el mundo exterior.

Hace que se sienta importante en su propio mundo. Puede tener limitaciones, pero todavía es un miembro activo de la sociedad.

Hace poco regresé a casa para visitar a mi padre. Una tarde nos sentamos juntos y compartimos una magnífica ensalada de pollo y verdura y para él, la siempre presente lata de Coca-Cola. Mi papá me miró y me dijo en un tono serio:

—Jamie, anoche soñé con mi antiguo barrio. Me gustaría ir a visitarlo. ¿Te parece que podrías llevarme en coche, para poder volver a ver todo otra vez?

—Claro, Pa, cuando quieras —respondí.

Al día siguiente mi padre estaba de traje y corbata, lo cual era muy raro. Tenía una gran sonrisa, como si fuera un chico de siete años en la mañana de Navidad.

—¿Estás listo? —me preguntó.

—Completamente —le dije.

Con Margaret, su enfermera, lo colocamos en el asiento delantero del coche. No caminaba muy bien desde que se fracturó la cadera, en una terrible caída el año anterior. La mayor parte del tiempo utilizaba la silla de ruedas. De todos modos, una vez que le colocamos el cinturón de seguridad, ya estaba listo para su alegre paseo. Era fascinante verlo feliz y lleno de vida otra vez. No había visitado su viejo barrio desde hacía diez años y naturalmente sentía curiosidad de ver cómo había cambiado todo. Me sentía un poco preocupado por él. Sabía que diez años pueden cambiar mucho un vecindario y podría no parecerse a lo que él recordaba.

Tomamos la autopista y pasamos el puente Whitestone. Mi padre me daba instrucciones todo el tiempo. Conocía el camino de memoria, aunque hubieran pasado diez años. Cruzamos por Long Island Sound y entramos en el Bronx. Mientras más nos acercábamos a sus antiguos lugares, más excitado se ponía. Era otra vez un niño, ansioso por descubrir lo que le esperaba en cada vuelta del camino. Pasamos un parque a la derecha y me informó que allí solía jugar a la pelota con los chicos del barrio. También era el lugar donde disfrutaban del picnic de los domingos con su familia. En ese época no había tanto aire acondicionado, así que no había nada mejor que un picnic en el parque para refrescarse en una tarde calurosa.

Seguimos por la ruta, hasta que finalmente dejamos la autopista. Doblamos a la izquierda en el siguiente semáforo y de inmediato nos metimos en el tráfico. Con lentitud fuimos avanzando hacia el oeste y pude oír los sonidos de incredulidad de mi padre al contemplar lo que solía ser su vecindario en Pelham Bay Park.

—No puedo creerlo —señalaba—. Mira para allá. ¿Ves eso? —Señalaba una vieja escuela pública de ladrillo, con gruesas rejas de hierro alrededor.— Allí es donde iba al colegio. No ha cambiado nada —exclamó.

Me sentí muy feliz al oír esas palabras.

Me fue indicando el camino por su viejo vecindario, por calles arboladas y casas de ladrillo. El barrio estaba formado por gran cantidad de inmigrantes griegos y según mi padre, no había cambiado tanto en esos años. Había un negocio de vídeo en lugar de su panadería favorita y otros pocos cambios, pero por sesenta años se había conservado bien.

Papá había arreglado para visitar a su viejo amigo de la infancia, Alex, y le había dicho que llegaríamos a eso de la una. Estacionamos delante de una casa amarilla que tenía el frente lleno de árboles frutales. Se destacaba entre todo ese cemento y ladrillo, a media cuadra del Elevado, con todos los trenes pasando con intervalos de pocos minutos.

Fui hasta la puerta del frente y saludé al anciano que esperaba con una gran sonrisa. Había conocido a Alex en el funeral de mi madre. Se acercó al coche y se saludaron con alegría. De inmediato comenzaron a hablar de los viejos tiempos, cuando estaban en el ejército, durante la Segunda Guerra Mundial. Entonces pregunté a Alex si quería acompañarnos en nuestra visita por el viejo vecindario.

Alex subió al coche y de inmediato comenzó a darme direcciones. Mientras dábamos vuelta a las manzanas, visitamos muchos lugares familiares de sus días de infancia. Nos detuvimos ante el patio de una escuela, los viejos pubs, el cuartel de bomberos, la iglesia del barrio y un puñado de casas y edificios de departamentos que todavía se conservaban. Escuché historias de gente que fue de gran influencia en la infancia de mi padre.

—Recuerdo cuando mi madre, tu abuela, tenía un Buick nuevo y que cada vez que trataba de salir del camino de su casa, se quedaba atascada, porque el coche era demasiado ancho para salir —dijo mi padre, sonriendo—. Y tu abuelo a menudo se quedaba dormido en el subte, porque la nuestra era la última parada y se pasaba la noche dando vueltas por el Bronx.

Los dos amigos desenterraban nombres del pasado y se preguntaban qué sería de ellos. Me sentí transportado al pasado, a través de las mentes de esos dos hombres que habían vivido en una época en la que los amigos se juntaban para ir a un baile o un paseo hasta un negocio para tomar un refresco. Sus diversiones decididamente no se centraban en la pantalla de la televisión o la computadora. Sus sueños eran sobre béisbol o recorrer el país en tren. La vida era más simple y en ciertas cosas, creo que más valorada. Todo lo que habían dejado eran sus recuerdos de días pasados y colecciones de entradas de cine de cinco centavos y tarjetas amarillentas de béisbol, en viejas cajas de cigarros.

Después de varias horas de recorrer el vecindario, dejé a Alex en su casa. Nos despedimos y nos alejamos de todos esos recuerdos de vidas que alguna vez fueron plenas y ricas y activas.

Cuando cruzamos el puente, pregunté a mi papá:

—¿Estaba todo como pensaste que iba a estar?

Vaciló y por último sacudió la cabeza de lado a lado.

—No. Pensé que iba a ser lo mismo, pero no. Me hizo sentir muy viejo. ¿Te parezco viejo a ti? —preguntó.

—¡Creo que estás muy bien para setenta y siete años! —contesté.

Entonces iniciamos una larga conversación que duró todo el camino a casa y siguió por la noche. Le pregunté si podía incluir nuestra experiencia en este libro y respondió:

—Sí, me encantaría —y agregó—: No creo que tenga mucho para ofrecer en palabras de consejo, pero sí puedo ayudar a otros a comprender lo que es envejecer o cómo tratar a los que ya somos ancianos, bueno, entonces quizá valga la pena.

—Papá —le pregunté—, ¿cuál piensas que es la peor parte de envejecer?

—Bueno, supongo que debe ser perder mi independencia. Siempre fui capaz de ocuparme de mí, de hacer lo que quería. Pero ahora no puedo. Tuve que dejar de conducir hace diez años porque veo mal. Ahora me siento como un inválido. Necesito ayuda para todo lo que hago. Necesito que alguien me pague las cuentas, como lo haces tú cuando estás en la ciudad y alguien que me prepare la comida. Detesto eso. Me hace sentir inútil. Nunca tuve tantos dolores y aflicciones como ahora. Simplemente inclinarme, me duele; ni hablar de caminar o salir de la cama para ir al cuarto de baño. Nadie me dijo nunca que esto sería así.

—¿Crees que envejecer te ha enseñado algo? —pregunté.

Me contestó después de unos momentos.

—Oh, sí. He tenido mucho tiempo para considerar mi vida y sigo pensando una y otra vez: si hubiera sabido entonces lo que ahora sé. En muchos aspectos, di por sentado que tenía vida. Uno no se da cuenta de lo valiosa que es la vida. Todo sucede muy rápido y no creo que uno tenga una perspectiva adecuada hasta que envejece. Cuando eres anciano, vives de tus recuerdos. Te pegan fuerte porque recuerdas cómo solías verte y lo que eras capaz de hacer. Te preguntas si todavía eres la misma persona. En realidad, te golpea fuerte cuando ves a tus viejos amigos, con rostros arrugados y manos temblorosas y te das cuenta de que la vida es violenta. Te has quedado solamente contigo mismo y tus recuerdos. Ya no pienso en el mañana. No significa mucho para mí.

—¿Qué más piensas que te ha enseñado?

—Creo que cuando uno envejece, uno se vuelve bondadoso o irritable. En mi caso, tuve que confiar en la bondad de extraños para poder vivir. Nunca pensé que algún día no iba a ser capaz de bajar del coche sin ayuda, o ir a un negocio o darme un baño. Ahora tengo que preocuparme por todas esas cosas. Había dado por sentado que haría todas esas cosas hasta el final. Desearía poder hacerlas, pero no puedo. Necesito ayuda. Tengo esa maravillosa señora que me ayuda. Es muy buena, se preocupa por mí. Le pago, pero es muy poco comparado con la cantidad de bondad y cuidado que me da. ¿Y sabes algo?

—¿Qué, papá?

—Lo hace de corazón. Me trata como a un rey, porque sabe que me siento incómodo. Su bondad me ha enseñado lo más importante en la vida: tratar a los demás como quieres ser tratado.

¡Qué diferencia enorme en la perspectiva de mi padre! Unos meses antes, nunca habría escuchado esas palabras de sus labios. En lugar de eso, se habría quejado de su situación de dependencia. No sólo había aprendido a comprender y aceptarlo, sino también a ver la plenitud y bondad de la vida que había dejado. Me sentí muy orgulloso de él.

—¿Qué crees que te hace seguir adelante? ¿Qué te mantiene vivo?

—Bueno, creo que uno sigue aprendiendo. La mente siempre puede aprender, no importa lo viejo que seas. A mí me gustan los juegos de palabras y la astronomía. He leído libros de astronomía. Hace varios años, fui a clase al Hayden Planetarium. Fue grandioso. Cambié ideas con chicos de la mitad de mi edad y aprendimos unos de otros. Eso para mí fue fantástico y me demostró que si puedes mantener el cerebro ocupado y activo, no necesariamente envejeces mentalmente. También creo que uno debe seguir viviendo porque hay muchas experiencias allí afuera. Tengo suerte porque nunca perdí tiempo sintiendo pena por mi mismo. Me imagino que siempre hay alguien por allí en condiciones o situaciones peores que las mías. ¿Así que por qué voy a sentir lástima por mí?

—¿Qué mensaje le dejarías a tus hijos o a otros más jóvenes sobre la vida?

Su respuesta fue:

—La vida es para vivirla. Espero que mis hijos sean al menos la mitad de felices de lo que yo fui. Me gustaría que cada uno se dé cuenta de lo corta que realmente es la vida y que hagan todo lo posible para hacer realidad sus sueños. No dejen que nadie se ponga en su camino, porque uno puede hacer lo que sea si pone el corazón. Y también, traten de hacer todo lo posible para ayudar a la gente.

La conversación continuó por otra media hora y luego yo comencé a sentir el peso de mi propia edad. Besé a mi papá.

—Buenas noches, pa. Muchas gracias por tus recuerdos.

Estoy contento de que mi padre haya aceptado envejecer. La mayoría de nuestros ancianos se sienten avergonzados porque tienen que depender de otros para ayudarlos a vivir sus días. A medida que uno envejece, por cierto siente la pérdida de muchas cosas, no sólo energía física y vigor, sino amigos, familia, sueños, deseos y propósitos. Y, finalmente, tenemos que pasar por una cantidad de percepciones, pensamientos y opiniones sobre esas pérdidas dentro de nosotros mismos. Es totalmente normal que muchos sentimientos salgan a flote. Como el duelo por cualquier pérdida, tenemos que pasar por el proceso. Pero como mi padre, al enfrentar la vejez, tenemos que hacer un cambio en nuestra forma de pensar sobre todo ese tema de la "edad". Tengan en mente que nuestras almas son atemporales y que el cuerpo físico es simplemente un caparazón que descartamos por voluntad propia en el camino a una gloriosa eternidad.

PAUTAS PARA LA CURACIÓN

Perder un hogar

- Permítete pasar por todo el proceso del duelo.
- Siempre es importante decir adiós a cosas especiales, tales como la antigua casa y las posesiones, todo lo que no puedes llevarte. Considéralo como una oportunidad para simplificar tu vida, haciendo lugar para que entren cosas nuevas.
- Deja tus posesiones a amigos o parientes con la actitud de que darán a otros tanta alegría como te la dieron a ti. Te dará el agradable sentimiento de saber que tus posesiones están en buenas manos.
- Practica los rituales que signifiquen terminación. Visita esos lugares especiales una vez más. Aunque llores, las lágrimas son las que te ayudarán a curarte de las pérdidas necesarias.
- Despídete de tu casa. Todo está hecho de energía y, por cierto, hay mucha de tu energía en esa estructura. Yo siempre hablo con todo cuando me voy: la casa, las plantas, el coche y los animales. Les digo lo feliz que me

han hecho y que sepan que cualquiera que tome mi lugar, también disfrutará mucho.

§ Que tus hijos se involucren con tu mudanza. Dales una tarea y deja que tomen algunas decisiones. No los dejes afuera, sintiéndose abandonados o rechazados.

§ Relájate durante la mudanza. No trates de hacer todo en un día.

§ Crea una sensación de ser tú mismo en tu nuevo hogar. Puedes hacer pequeñas cosas que te hagan sentir que ya estás en casa. Flores o velas con las que te identifiques, harán que un lugar extraño se vuelva más confortable y familiar.

§ Comunícate con tus nuevos vecinos. Invítalos a una fiesta de inauguración de la casa. No necesita ser muy elaborada.

§ Relaciónate con el colegio de tus hijos a través de la asociación de padres y maestros o en los actos del colegio.

§ Mantén el contacto con tus amigos y familiares. Eso calmará tu ansiedad de sentirte alejado. El teléfono y el e-mail son maravillosos instrumentos para ayudarnos a mantener la comunicación con nuestros seres queridos.

§ Debes hacer algo agradable para ti. Que te den un masaje. A veces un nuevo corte de pelo o ropa nueva, ayudan a una nueva vida en un lugar nuevo.

Cómo lidiar con la enfermedad

§ Permítete pasar por todo el proceso del duelo.

§ No intentes ocultar tus sentimientos.

§ Sé honesto contigo mismo. No hagas una montaña de un grano de arena.

§ Aclara todas las comunicaciones con tus médicos y

sanadores. Si no te gusta algo, asegúrate de decirlo. Si tu médico no te agrada, déjalo. Éste no es el momento de ser amable al punto de llegar a mortificarte. Tener confianza y fe en los sanadores es tan importante como la atención del médico.

- Éste es el momento de dejar de culparte por tu enfermedad y aprender a vivir un día por vez, en una nueva forma. Encuentra maneras de relajarte y manejar tu estrés. Visualizaciones, hipnosis y oraciones son probablemente las mejores formas de lidiar con tu dolor y angustia.

- Involúcrate en un proyecto vital, que puede incluir leer libros que siempre quisiste, pero estabas demasiado ocupado para disfrutarlos; revivir una vieja amistad, viajar, etc.

- Únete a un grupo de apoyo. Hay grupos de apoyo para el cáncer en todo el país. Siempre puedes encontrar ayuda a través de tu hospital o tu iglesia.

- Mantén contacto con amigos y familiares que sean positivos por naturaleza. No necesitas estar rodeado de personas con conductas pesimistas o destructivas.

- Está bien que llores y lo dejes salir. Las lágrimas son beneficiosas para la química de tu cuerpo.

- Discute tus sentimientos y problemas con tu familia y tus hijos cuando estés tranquilo. Éste es un tiempo muy difícil para todos ustedes. Deja que tu familia comparta sus sentimientos contigo cuando estés tranquilo y sin mucho dolor. Sólo tú puedes saber cuándo has tenido bastante.

- Deja instrucciones para tu enfermedad. Darás indicaciones específicas sobre cómo quieres que manejen tu enfermedad cuando ya no puedas hablar por ti mismo.

- Deja tus asuntos en orden mientras estás calmo y coherente. Si tienes posesiones para dejar, asegúrate de que todos entiendan cómo quieres repartirlas. Facilita las cosas a tu familia.

§ Soluciona los problemas que tienes con gente cercana a ti. El perdón es la llave para dejar que la energía de la fuerza de Dios fluya en ti.

§ Abraza tu vida. Ámate a ti mismo. Nunca estás solo.

Crisis en la mitad de la vida

§ Permítete pasar por todo el proceso del duelo.

§ Haz una lista de todas las cosas que te hacen temer la vejez, tales como la pérdida de dinero, la enfermedad, la senilidad, la soledad, disminución o falta de sexo y miedo a la muerte. Escribe todo y luego quémalo. Ésos son tus miedos, pero no tus verdades. Deja que se vayan.

§ Haz una lista de todas las cosas que todavía quieres hacer en la siguiente mitad de tu vida, como aprender un idioma extranjero, pasar tiempo con amigos o nietos, ofrecerte como voluntario para tu causa preferida, tomar clases de baile, aprender a usar la computadora o comprar una casa de vacaciones. Guarda esa lista y consúltala. Que sea una señal indicadora para la siguiente mitad de tu vida.

§ Si no perteneces a una comunidad espiritual, puedes desear unirte a alguna o seguir algunos rituales espirituales, como asistir a un retiro.

§ Si descubres que la religión de tu juventud no sirve para ti, toma clases en diferentes disciplinas espirituales, tales como meditación, yoga o tai chi. A mucha gente le gusta "Un Curso en Milagros" o "Sabiduría de los

Indios Americanos", prácticas que los mantienen en contacto con la naturaleza y los animales.

- Busca la soledad. Escucha en el silencio. Ésa es la forma de tomar contacto con tus verdaderos sentimientos. Escucha a tu intuición para evaluar tu vida y realiza los cambios que te darán más paz, conformidad y placer.
- Apaga el televisor y sal a caminar. Todos esos programas y comerciales orientados a la juventud sólo refuerzan las creencias erróneas de que eres inadecuado y sin importancia.
- Si la gente en tu vida fue destructiva para ti, déjalos ir con amor. Practica la tolerancia y el perdón.
- Usa tus energías creativas para contribuir contigo y con los demás.
- Encuentra formas de equilibrar todas las zonas de tu vida. El secreto para una vida exitosa no puede encontrarse en el dinero y las posesiones, sino en el amor por uno mismo y por los demás y en la compasión por todas las cosas vivientes.
- Actividades con contenido y un buen trabajo social pueden aminorar cualquier dificultad mental, emocional y física que puedas sentir mientras entras en la mediana edad.

Envejecer

- Permítete pasar por todo el proceso del duelo.
- Si puedes, únete a un centro de mayores o a un grupo en tu comunidad. Siempre hay muchas actividades y podrás estar con gente que tiene mucho para ofrecer y a la que tendrás algo para ofrecer.
- Si estás pasando tiempos difíciles, consulta a un tera-

peuta o a un consejero. Es necesario que restablezcas tu propia autovaloración y perdones a ti y a los otros que en el pasado te interpretaron mal.

- Valora y utiliza los recursos disponibles. Siempre tienes opciones. Nunca es demasiado tarde para aprender algo nuevo.

- La mayoría de los ancianos no están tan atemorizados por la muerte como por las condiciones de su muerte. Toma las disposiciones necesarias para tu muerte, tales como autorizar lo que quieres que hagan cuando ya no estés consciente. Que tus seres queridos sepan cómo quieres que te atiendan cuando tu final esté cerca. Haz todo lo que puedas para sentir que morirás con dignidad y de la forma en que lo deseas.

- Mantén un enfoque positivo en cada día que se te presenta. Quedarte en el pasado y pensar negativamente hará que tu sistema inmunológico se debilite.

- Presta atención a los demás y al mundo que te rodea y disminuirá tu actitud de retraimiento.

- Sigue alimentando tu mente y estimulando tus sentidos. Un día con tus nietos, o como voluntario, ayudará a mantenerte vital.

- Ordena tus relaciones. Constantemente me dicen desde el mundo espiritual que reconciliarnos con nuestras relaciones es la mayor lección de todas. Si tienes la oportunidad, deja atrás lo malo y reconcíliate con quien te causó problemas. El perdón y el amor van de la mano.

- La risa es el mejor remedio. Es contagiosa y tiene una poderosa energía de curación.

8

La pérdida de
nuestras mascotas

En el terreno de atrás de la casa de mi padre, grabada en un rincón de un muro de ladrillo, está la desteñida marca blanca de una flecha. Señala a un terreno del costado de la casa. Debajo de la flecha, se puede leer: CEMENTERIO DE MASCOTAS ST. MICHAEL. Hice esa señal cuando tenía unos siete años y ha resistido todo este tiempo.

Como cualquier otro niño, yo tuve mi cuota de hamsters, peces dorados y tortugas. Me sentía muy apegado a todos ellos. De hecho, cada día, cuando volvía a casa del colegio, me sentaba a charlar con ellos, en sus peceras o en sus jaulas. Esas mascotas eran mi familia. Recuerdo el ritual de ponerles un nombre a cada uno y colocarlo en una tarjeta que pegaba en sus lugares. La primera vez que murió uno de mis peces dorados, me sentí abrumado. Le pregunté a mi madre qué había sucedido y ella me respondió: "Era el momento de que el pescadito regresara al cielo. Dios tiene otros planes para él". Pero no lo entendí. No importaba lo que ella dijera o cómo tratara de consolarme, igual me sentía muy triste. Creo que es por eso que comencé con el cementerio. Quería tener un lugar para sentarme y charlar con mis amigos. Recuerdo con nitidez el servicio que oficiaba cada vez que moría una de mis mascotas. Encendía algunas velas y decía unas oraciones. Luego me encaminaba al Cementerio St. Michael, en el terreno del fondo, y colocaba el ataúd, que era una caja de cigarros, en un agujero que había cavado en la tierra. Luego lo cubría y colocaba, sobre la tumba, una cruz hecha con dos cucharitas de helado con el nombre de mi mascota muerta.

El cementerio recibió ese nombre por mi hermano Michael. Él compartía conmigo el amor por los animales. Solía llevar a casa gatos o perros vagabundos atropellados por automóviles. Siempre los llevaba al cementerio, para que tuvieran un entierro adecuado. Yo solía pensar que si un coche me mataba y tenía que ir al cielo, me hubiera gustado que me enterraran de esa forma. En total, debíamos tener unas cincuenta o sesenta tumbas en nuestro terreno.

Mi amor y respeto por los animales nunca han cesado. Todos los animales son sagrados para mí y creo que comparten la tierra con nosotros para enseñarnos muchas cosas sobre la vida, sobre la curación y muy especialmente sobre el amor incondicional. Los animales se han convertido en los mejores asistentes sociales, terapeutas y sanadores. Cada vez más vemos que utilizan mascotas para alegrar a los ancianos o para aliviarles los dolores en los hospitales. Nos hemos enterado, a través de estudios científicos, que los gatos pueden ayudar a bajar la presión de una persona y mejorarles el humor, con su sola presencia. Todos conocemos muy bien la importancia de los perros para la búsqueda y el rescate durante las situaciones de desastre. Perros para ciegos, para sordos, y otros entrenados para ayudar a gente con diversas enfermedades están siempre en constante demanda.

La vida de casi todos ha sido tocada de alguna forma por un animal. Con simpleza, estas criaturas capturan con rapidez nuestro corazón. No es infrecuente que nos sintamos atraídos ante un lindo perro o un gato cariñoso o que hagamos cola en el Mundo Marino para observar a los delfines y a las ballenas nadar sin cansancio en un acuario gigante. Los niños, en particular, tienen una relación especial con los animales. Me acuerdo de todas las veces que visité de niño el zoológico, sólo para poder ver a los magníficos leones, tigres y elefantes.

Para la mayoría de nosotros, los animales juegan un importante papel en nuestras familias. Tanto es así, que muchos consideran que ese miembro de la familia es mucho más fácil de tratar que los miembros humanos. Porque nuestros animales nuncan juzgan, critican o hablan mal de nosotros a nuestras espaldas. No tienen planes ocultos o sistemas de creencias que nos perturben o depriman. Son exageradamente leales y, sin importarles nuestra conducta o mal humor, siempre estarán de nuestra parte, hasta el punto de que dejan que se abusen de ellos. Son seres divinos, extraordinarios, que demuestran el poder de dar y recibir amor. Por esa razón, nos resulta mucho más fácil conectarnos o confiar en ellos. Les hablamos, jugamos con ellos y los llevamos de viaje. Suelen volverse el centro de atención y nosotros terminamos acomodando nuestras rutinas diarias en torno de ellos. Tener una mascota no es solamente una experiencia de medio tiempo, es un estilo de vida. Siempre tenemos que tener en consideración el bienestar de nuestras mascotas cuando vamos a tomar una decisión importante.

Los lazos que desarrollamos con nuestras mascotas son muy gratificantes. En la medida en que nos damos cuenta de los distintos rasgos de personalidad que tienen, esos lazos se vuelven aún más fuertes. Nuestras mascotas nos ayudan a expresar el amor en una forma totalmente generosa. Nos enseñan sobre la responsabilidad. Como nuestros hijos, nuestras mascotas dependen de nosotros para tener casa, alimento y cuidados cuando se enferman. A su vez, ellos nos dan una compañía llena de amor. Nos aceptan tal como somos, que es algo que difícilmente encontramos en nuestro mundo de ritmo acelerado. Su naturaleza amorosa trae alegría y plenitud a nuestras vidas, lo que nos ayuda a sentirnos mejor con nosotros mismos. Nuestras mascotas son nuestros amigos y confidentes. Cada vez que nos sentinos deprimidos o molestos, podemos acudir a ellos para sentirnos valorados y amados. Al mirarlos a los ojos o acariciando su piel, recibimos de inmediato el amor que tienen en su interior. Siempre nos recuerdan quiénes somos. Compartimos nuestra vida con ellos y nos premian con una devoción inocultable, confianza y seguridad.

Los animales siempre sienten nuestros cambios de humor, porque están mucho más conscientes de los niveles psíquicos o intuitivos. Se confían en su naturaleza innata para saber si alguien los va a lastimar o a tratarlos bien. El sexto sentido es un aspecto muy dominante en ellos. La próxima vez que te vayas de viaje, fíjate cómo se producen sutiles cambios en la conducta de nuestra mascota. Tu perro, tu gato o tu canario saben que te vas a ir. Yo siempre hablo con mis mascotas cuando voy a viajar y les aseguro que voy a regresar.

Cuando era chico, el programa de televisón de Lassie era muy popular. Estoy seguro de que muchos de ustedes lo recuerdan. Lassie se las arreglaba para salvar a mucha gente del peligro. La perra no solamente era inteligente y valiente, sino también afectuosa y dulce. Lassie es el summun del ideal de una mascota. Como Lassie, nuestras mascotas se esfuerzan en hacer lo mejor y darnos todo. Y piden muy poco a cambio, salvo nuestro cuidado y bondad. es por eso que los amamos así y nos sentimos tan perdidos sin ellos.

ESPÍRITUS ANIMALES

Una de las preguntas más comunes que me hace la gente es: "¿Los animales sobreviven a la muerte?". La respuesta es: "¡Sí! Por supuesto que sí". Los animales son espíritus como nosotros. Cada animal tiene un alma con una personalidad y un propósito divino distintos. Como con la muerte de un ser humano, cuando el cuerpo físico ya no puede llevar al espíritu, el espíritu de un animal es liberado y va a la dimensión espiritual. Muchos espíritus han compartido conmigo que hay un "encargado de los animales", un ser que los vigila en el mundo espiritual. Parece que la mayoría de los animales actúan donde más los necesitan y donde pueden ayudar a otros espíritus de la raza humana. Es muy común para una mascota estar entre aquellos que reciben a los seres queridos en el momento en que pasan al mundo espiritual, en especial si los lazos de amor eran excepcionalmente fuertes.

La siguiente de las preguntas más comunes es: "¿Pueden comunicarse desde el espíritu?". Y la respuesta otra vez es un sonoro: "¡Sí!". He entregado miles de mensajes desde el reino animal. La energía de amor que acompaña a esas transmisiones es nada más que pura felicidad y es, de lejos, muy superior a la mayoría de las comunicaciones que he experimentado. A diferencia de los humanos, la energía animal no está contaminada con juicios y opiniones terrenas, y habitualmente llega con adoración, gratitud y amor.

He sentido con frecuencia que el reino animal trabaja junto con el reino humano en un plan divino. Esto puede manifestarse en formas que no podemos comprender en su totalidad desde nuestra actual posición. Pero yo creo que la conciencia animal hace su parte para ayudarnos a conectarnos con la verdad de ese amor perfecto del cual todos provenimos. Me estoy refiriendo no sólo a las acciones obvias que ya han sido descriptas, sino también a formas psíquicas. Creo que los animales son fácilmente señalados por el espíritu. He sabido de momentos en los que los animales se han conectado con humanos en el momento de la muerte o muy poco después. Ellos son en realidad conductos para señales y mensajes significativos, desde el mundo espiritual.

Por ejemplo, después de que alguien muere, es muy común tener una experiencia con un animal que de inmediato
nos hace pensar en ese ser querido. Algunos de esos episodios
son más evidentes que otros. Recuerdo esa clase de experiencia
cuando mi madre murió. Durante el servicio fúnebre, el sacerdote nos pidió que viéramos el espíritu de nuestra madre como
cautivo en su cuerpo, similar a la oruga en su capullo. Al
morir, dijo, el espíritu se libera para subir al cielo, semejante a
la mariposa que sale del capullo y puede volar por el cielo. Ese
pensamiento fue reconfortante para mi familia y aunque yo
hago esa clase de trabajo todo el tiempo, me hizo bien recordarlo. Era algo que necesitaba escuchar.

Después de esas palabras, mis hermanos y yo nos acor-
damos a menudo de la historia de la mariposa. Durante años
después de la muerte de mi madre, si llegábamos a ver mariposas en un aniversario o una celebración de cumpleaños,
pensábamos que era mamá que se reunía con nosotros. Esto
era comprensible cuando ocurría en primavera, en verano o en
otoño, pero en varias ocasiones también aparecieron mariposas
en invierno. Mi mente racional trató de encontrar una explicación para esas apariciones, pero mentiría si digo que encontré
alguna. Mis hermanos insistían en que la mariposa era mi madre
o era ella que influía en la mariposa. Yo pensaba que era un
hermoso sentimiento, pero totalmente simbólico.

Durante un viaje a Brasil tuve que creer que la mariposa
era algo más que un gesto simbólico. Había llevado a un grupo
de gente a un retiro espiritual, durante el cual visitamos varios
centros psíquicos en el país. Esos centros albergaban sanadores
y médium de toda clase y el grupo podía tomar parte de algunas
demostraciones increíbles de sanación. Cuando terminamos
nuestra semana de sagrada intimidad, realizamos un viaje
hasta una espectacular catarata en el sur de Brasil. Salí solo y
me senté bajo un árbol para hacer una meditación cerrada en

beneficio de mi grupo. Agradecí al mundo espiritual por todas esas experiencias definitorias que todos habíamos tenido esa semana. Mientras meditaba, mi madre apareció y me dijo que estaba orgullosa de que ayudara a tanta gente a iluminar sus vidas. Podía oír su voz mientras me decía que siempre estaba conmigo. "Mira alrededor, James, y acéptalo", fueron sus palabras. Le agradecí, la bendije y le dije: "Yo sé que estás aquí, mamá". Cuando abrí los ojos, una hermosa mariposa color naranja y azul se apoyó sobre la palma de mi mano derecha. Las lágrimas comenzaron a rodar por mis mejillas. Supe desde ese momento que jamás volvería a cuestionar la aparición de una mariposa. Era la forma en que mi madre me estaba confirmando que siempre me guiaría y protegería.

SPENCER, NUESTRO HÉROE

No creo que nosotros, los humanos, comprendamos en su totalidad la extraordinaria inteligencia y valor de nuestros animales. Sé que hemos oído historias de animales que arriesgaron sus vidas o que viajaron largas distancias para reunirse con su amado dueño. Muchos animales nos sirven de guardianes. Parecen estar conectados con nuestro bienestar en muchos niveles. Creo que algunos animales tienen una tarea específica en esta tierra, como ángeles para salvar vidas, enviados por Dios para mantenernos en nuestro sendero espiritual. Esto está particularmente expresado en la siguiente historia sobre una mascota notable.

En medio de una demostración pública, mientras le estaba dando un mensaje de su querido padre, recientemente fallecido, a una señora llamada Corey, una imagen de un gran perro negro corriendo hacia mí apareció en mi mente. La imagen cambió tan rápidamente, que casi no pude dar la descripción.

—Acabo de tener esa curiosa imagen. Tu padre me está mostrando un perro. Parece como un ovejero alemán negro. ¿Él era dueño de ese animal? Parece que corriera alrededor de tu padre.

—No —respondió Corey.

Inseguro de lo que estaba recibiendo, tuve que darle bastantes más detalles antes de que comprendiera la imagen a la que yo me refería.

—Ese animal me muestra el ojo izquierdo. Siento que el animal tiene un problema con el ojo izquierdo. Veo sangre en la cuenca del ojo. Podrían ser cataratas.

La expresión del rostro de Corey se transformó. Sus ojos se abrieron redondos como platos. Se tapó la boca con las dos manos y jadeó.

—Oh, mi Dios. ¡Sí! —exclamó.

—El perro quiere que sepas que ahora puede ver bien y te agradece por haberlo ayudado con su ojo.

—Sí. Lo llevé al veterinario. Oh, mi Dios —exclamó otra vez.

Entonces comenzó a llorar y alguien cercano a ella se puso de pie para ayudarla. Corey estaba muy conmocionada.

—¡Es Spencer! ¡Es Spencer! Lo conozco. ¡Es mi perro, Spencer! —pudo articular.

Corey estalló en llanto. Tuvimos que esperar unos minutos hasta que pudo controlarse. Unos miembros de la audiencia la calmaron. Cuando percibí que ya se sentía mejor, continué:

—Este perro te dio mucho amor. Siento que este perro era muy especial.

En ese momento, el perro espíritu saltó frente a ella y comenzó a lamerle la cara.

—Quiere besarte —dije.

Toda la audiencia dejó escapar un enorme ¡Ah!

—Estoy viendo una cinta alrededor del cuello del perro. Es

como si tuviera una medalla de oro pegada a la cinta púrpura. Siento que este perro fue algo más que un perro de la familia. Quiere que te diga que lo enviaron para que fuera tu protector.

Corey sólo pudo asentir con la cabeza. Cuando pudo calmarse, una sonrisa apareció en su rostro cubierto de lágrimas.

—Es que no podía creer que fuera Spencer.

Entonces recibí la sensación de un nombre.

—¿Conoces a alguien con el nombre de Tracey? Creo que el nombre es Tracey.

—Sí, claro. Es mi hija. Pero ella está aquí en la Tierra, no está muerta.

—Qué curioso, estoy viendo el nombre de Tracey escrito frente a este perro. También estoy sintiendo olor a humo, como si me ahogara y no pudiera respirar.

Sin saber bien lo que significaba, me equivoqué al interpretar la imagen.

—¿Tu padre tenía problemas respiratorios? Porque eso es lo que me parece.

—No, él no murió de eso. Pero creo que yo entiendo lo que estás recibiendo, James. Por favor, continúa. Quiero oír más.

—Bueno, no sé por qué, pero siento que este perro quiere estar con Tracey o que ella lo reconozca. ¿Eso tiene sentido? —pregunté.

—Sí, James, lo tiene.

La lectura cotinuó durante varios minutos más, ya que el padre de Corey tenía más informaciones que darle. Quería que asegurara a varios miembros de su familia que él ya no sufría más.

—Me está diciendo que se siente lleno de vida, ahora que está libre de su envoltura física.

Después de la lectura, Corey fue a verme en privado y me dijo:

—Todo lo que dijiste tiene mucho sentido para mí ahora.—Luego se disculpó por no haberse dado cuenta de inmediato de lo que le estaba diciendo, porque le parecía imposible.

—Cuando recién me casé —continuó diciendo— Tom, mi marido, y yo deseábamos tener un perro. No estábamos seguros de si queríamos ir a un criadero o buscar uno de la perrera. Por último fuimos a la perrera y nos enamoramos de un pequeño terrier pelo duro. Pero volvimos a casa para pensarlo. Cuando regresamos dos días más tarde, el pequeño pelo duro no estaba. Ya le habían encontrado casa. Nos sentimos un poco frustrados. En el camino de salida, vimos a un pastor alemán negro, en la última jaula de la izquierda. Era algo mayor que el resto de los perros. Al pasar, se acercó al frente de la jaula y me miró fijamente. Me incliné para acariciarlo y comenzó a lamerme la mano, como si me conociera desde siempre. Tom y yo decidimos que, aunque pensábamos en un perro mucho más chico y joven, ese perro tenía algo que nos resultaba atractivo y confiable.

"Así que lo llevamos a casa y le pusimos Spencer como nombre. Muy pronto se convirtió en parte de la familia. Varios meses más tarde, descubrí que estaba embarazada. Spencer me seguía a todos lados, como si me cuidara debido a mi estado. Pero recién cuando estaba por tener mi bebé, nos dimos cuenta de lo especial que era Spencer. Tom trabajaba en el turno de la medianoche. Una noche, justo antes de que Tom se fuera a trabajar, Spencer parecía muy nervioso y agitado. No se quedaba quieto e iba de un lado al otro. En medio de la noche, me levanté para buscar un vaso de agua y en el camino a la cocina, tropecé con una caja en el medio del piso. Me caí y tuve un dolor muy fuerte y comencé a sangrar. Lo último que recuerdo es el sonido de los ladridos de Spencer. De alguna forma pudo salir y comenzó a ladrar frente a la casa. Sus ladridos despertaron a mi vecina Judy, quien entró y me encontró tirada en el píso. Para abreviar la historia, llamó a los paramédicos y me llevaron al hospital. Di a luz a una niña saludable, Tracey, pero el médico dijo que si no me hubieran llevado enseguida, la habría perdido.

"Y luego, durante el primer año de vida de Tracey, Tom y yo fuimos despertados por mi Spencer que tiraba de las cobijas con los dientes. En cuanto nos despertamos, ladró y corrió al dormitorio de la bebita. Al entrar, vimos que nuestra hija no respiraba y se estaba poniendo azul. Tom llamó rápidamente a Emergencias y yo le hice respiración boca a boca, hasta que revivió. Si no hubiera sido por Spencer, hoy no estaría viva.

Puesta al día

Spencer vivió con Corey, Tom y Tracey durante otros cuatro años, hasta que murió. Corey dice que había desarrollado una relación muy grande con su hija, que tenía cinco años cuando él murió.

—Dormía a su lado cada noche y, si le pasaba algo, ladraba sin parar hasta que nos despertaba. No es raro que quiera que ella lo reconozca. Spencer decididamente fue nuestro héroe y le debemos todo. Lo extrañamos muchísimo.

SKYLARK

Muchas veces tuve la oportunidad de entregar mensajes de animales, que expresan cómo los pequeños hábitos o las cosas especiales de sus dueños los hacían felices. La comunicación que sigue está llena de esa clase de reconocimiento.

Byron y Joanne Baker habían perdido a su hijo Brian a los

ocho años, por leucemia. En los dos años siguientes ellos, junto con Marlene o Marlee, como llamaban a la hija, intentaron comunicarse con él. Cuando Brian apareció durante nuestra sesión, consoló a su familia con un maravilloso mensaje de optimismo y alegría.

Podía oír el entusiasmo en su mensaje, mientras me lo decía.

—Está diciendo que no sufría cuando murió y que ahora que está en el cielo, puede tomar todos los helados que quiera.

Brian continuó diciendo que estaba en una especie de colegio con otros chicos y tenía muchos, muchos amigos.

—Quiere saber por qué están tan tristes si él está tan feliz —dije.

Luego Brian dijo a sus padres que una señora llamada "Ta Ta" se ocupaba de él.

Y su madre explicó:

—Ésa es mi tía abuela Tamara. Murió hace diez años.

Cuando yo pensaba que la sesión estaba llena de excelentes evidencias y ya no esperaba mucho más, Brian todavía tenía algo que decir que sorprendió a todos.

—Brian quiere que sepas algo, Marlee. Me está diciendo que Ta Ta lo llevó a alimentar a Skylark y la estuvo acariciando.

De inmediato, Marlee comenzó a llorar. Se tapó la cara con las manos.

Con los ojos de mi mente, empecé a recibir la impresión de un gran caballo.

—Estoy viendo un caballo tordillo frente a mí. Tiene una mancha blanca en la cabeza y la sacude de arriba a abajo. ¿Es Skylark?

—Sí —dijo Marlee.

—Esto puede resultarte extraño, Marlee, pero estoy recibiendo la impresión de que este caballo tuvo mucha fiebre antes de morir y que tú y tu padre llamaron a diferentes veterinarios para que lo vieran.

—Sí, es así. Se suponía que ella tenía una clase de virus mortal —replicó la joven.

El padre aportó información.

—Intentamos con todos los veterinarios de Nueva Inglaterra para saber qué tenía esa yegua. La vieron muchos, pero ninguno pudo hacer nada.

Joanne preguntó con curiosidad.

—Usted mencionó a mi hijo con la yegua. ¿Cómo es posible?

Ésa era una típica pregunta que me hacen a menudo, cuando aparecen animales en una lectura. Así que expliqué:

—Bueno, en los mundos celestiales, uno puede ver seres queridos y animales que conoció. Es evidente que Brian fue llevado hasta ese animal por alguna razón. Tal vez para hacer que el niño se sienta más en casa. También es habitual que los animales estén en un ambiente que les guste. En el caso de Skylark debe ser probablemente un campo o cesped.

—A Skylark le encantaba galopar por los prados —agregó Marlee.

Continué con la lectura.

—Este animal me hace sentir una personalidad muy fuerte. Pero también siento que no le gustaba todo el mundo. Era muy quisquillosa con la gente.

Miré al grupo para buscar alguna confirmación.

Todos estaban impresionandos y al mismo tiempo divertidos. Respondió Joanne.

—Oh, sí, claro que sí. ¡Es verdad! Si a Skylark no le gustaba alguien, pegaba la vuelta y se iba. Y en general podíamos saber cómo era una persona observando la conducta de Skylark.

—Marlee, Skylark me está dando la impresión de que dormías en su establo cuando ella estaba enferma. Quiere que sepas que realmente apreciaba tus cuidados y amor.

Marlee comenzó a llorar de nuevo y sólo pudo asentir con la cabeza.

Seguí recibiendo pensamientos y visiones de ese emocionante animal. Presentaba una energía hermosamente fuerte de amor con cada nueva idea.

—Caramba, esto es interesante. Creo que debes saber que esta yegua te visita al anochecer. Me está dando la impresión de que todavía tienes su manta. En tu dormitorio. ¿Eso te dice algo? —pregunté a Marlee.

Una vez más todos se sorprendieron.

Marlee miró por encima de sus padres, luego de nuevo a mí y dijo:

—Sí, yo tengo la manta. Está a los pies de mi cama. La miro todos los días y pienso en Skylark. ¡Esto es sorprendente!

—Skylark me está confiando que ustedes eran grandes amigas. Dice que trataba de hacer lo mejor posible con los saltos. Que realmente hacía todo lo posible. ¿Lo entiendes?

Esta vez, Byron fue el asombrado.

—Skylark era fuerte y muy competitiva —indicó.

Y Marlee completó su frase.

—Participamos juntas en demostraciones. Incluso ganamos algunos premios.

—¿Algunos premios? Tienes más de veinte que ganaron por todo el estado —la interrumpió orgullosa su madre.

Yo me sentía muy feliz de que ese devoto animal de Marlee hubiera aparecido.

—¿La volveré a ver? —preguntó Marlee.

—Por supuesto que sí —contesté—. Durante toda tu vida Skylark estará cerca como lo estuvo en la tierra y cuando sea tu tiempo de volver a casa en espíritu, ella estará allí para recibirte. Una de las cosas maravillosas sobre los animales es que están con nosotros todo lo que los necesitemos.

Y tan pronto como se lo dije, tuve otra visión de Skylark subiendo y bajando la cabeza y relinchando.

—Creo que Skylark está de acuerdo conmigo.

De pronto vi una cinta azul cayendo de una pared. Pregunté a la familia si eso tenía algún significado.

—Sí —respondió Marlee—. Una cinta cayó esta mañana de la pared. estaba justo encima de mi cama. Era una cinta azul, el último premio que gané con Skylark antes de que muriera. Es curioso que lo mencione ahora, porque después de que sucedió, esta mañana, hubiera jurado que sentí las sedosas crines de Skylark en mis manos.

Puesta al día

La vida de la familia Baker parece haber seguido adelante desde que estuvieron conmigo. Una sesión no necesariamente hace que el dolor de uno se vaya. En cambio, ofrece una nueva y concreta revelación sobre la vida después de la muerte. Mientras tanto, Marlee comenzó la secundaria y decidió terminar con su carrera en las competencias de equitación. Me contó que ya no quiere volver a tener otro caballo. "Ahora tengo un diario y escribo mis pensamientos y sueños." Una de sus partes favoritas es sobre Skylark. "Sueño que cabalgamos juntas en una brillante pradera con flores con todos los colores del arco iris. Saltamos cercas y volamos por el aire. Sé que siempre estaremos juntas."

RECUERDOS DE MASCOTAS

A través de los años, he recibido muchas cartas de gente que quiere expresar su amor por una mascota de la familia. Esas cartas están llenas de afecto por un animal que los ayudó de alguna manera a amar un poco más a la vida o contribuyó a que se curaran. Algunas de esas comunicaciones son tan hermosas y llenas de amor que quiero mostrárselas, para que también puedan compartir estos momentos únicos de amor. Éstas son las historias.

Annie

Durante ocho años tuve una cacatúa llamada Annie. Era una maravillosa compañía y una fuente de gran inspiración y alegría para mí. Annie era blanca con una brillante cresta amarilla y la cola y las alas de amarillo moteado. Tenía las mejillas de un rosa anaranjado que le daban un aspecto vivaz y distinto. Ella sabía que lucía bien y estaba orgullosa y lo demostraba.

En esa epoca, yo vivía muy cerca de la playa y solía llevar a Annie a pasear, como otra gente lo hace con sus perros. Pero Annie se colgaba en mi espalda, en lugar de llevarla con una correa. Como siempre he respetado y amado la libertad y la gracia del vuelo de los pájaros, nunca le corté las alas. La colocaba en mi hombro y así salíamos. Siempre supe que Annie elegía estar conmigo, porque podía volar e irse cuando quisiera. Cuando estábamos a mitad de camino entre la arena y el oleaje, yo levantaba mi dedo índice para que Annie pudiera bajar. Siempre jugaba a morderme como para hacerme saber que ella mandaba. Su mordisco era un gesto afectuoso y parte del lazo que nos unía. Podía quedarse orgullosamente en mi dedo y en un momento, me fijaba en el viento y la echaba a volar. Se remontaba con tal abandono después de haber estado todo el día en la jaula. ¡Era un espectáculo verla!

La gente en la playa se detenía y la contemplaba maravillada. Era un pájaro pequeño pero volaba en círculos enormes sobre la playa, hasta que estaba lista para volver.

Entonces apuntaba su aterrizaje directamente sobre mi hombro. Yo le rascaba la cabeza como un premio a su excelente llegada y una vez más ella me mordía el dedo índice. Esto parecía significar la independencia de Annie, su auténtico amor y su gratitud. Nuestros paseos juntas siempre eran a la caída del sol, porque las dos parecíamos preferir esa hora del día. Annie fue mi mejor amiga y compañía a través de épocas muy angustiosas. Siempre se las ingenió para llenar mi vida de alegría justo cuando más la necesitaba. Cuando murió, me sentí acongojada. Sentía un vacío en mi interior que no tenía consuelo.

Catorce años después de la muerte de Annie, me encontraba en un viaje de buceo, en una pequeña isla cerca de Bora Bora, en Tahití. Entré en esas maravillosas aguas color turquesa, en esas vacaciones de ensueño y me dirigí hacia un arrecife. Encontré una colección de peces tropicales multicolores. Un pez de brillante color amarillo parecía dirigirse en dirección hacia mí. De alguna manera se me ocurrió que quería darme la bienvenida en el mar y mostrarme su hogar. Cuando lo miré de más cerca, me di cuenta de que tenía una mancha anaranjada en cada una de sus agallas.

Cuando extendí la mano para tocarlo, me dio un pequeño mordisco en mi dedo índice. Justo entonces me di cuenta de algo mientras mi mente se llenaba de recuerdos de Annie. Pensé: "¿Podría ser que mi pájaro fuera este maravilloso pez?".

Annie siempre había amado el océano. Seguramente podía ser tan libre como un pájaro en las inmensas aguas azules de esta adorable isla paradisíaca. Fue en ese momento que comprendí que el amor por una mascota nunca muere. Vive para siempre en nuestros corazones. Sé que Annie siempre estará en el mío.

Lindy Carroll
Hermosa Beach, California

El Gato Chester

Siempre he vivido con gatos, de alguna forma los gatos y yo siempre nos hemos atraído. Creo que es porque compartimos un original entendimiento y respeto mutuos. Hace cuatro años un hermoso gato de pelo castaño apareció en mi puerta.

Era evidente que este gato no estaba cuidado y necesitaba agua y comida. Y por cierto que había acudido a la casa correcta. Tal vez sabía que yo era aficionada a los gatos. De inmediato le preparé un cuenco con comida y lo dejé en el porche. No lo forcé a que entrara. Sabía que finalmente decidiría si se quedaba o se iba.

Después de unas pocas semanas, el gato comenzó a entrar en la casa y antes de que me diera cuenta, se apoderó de ella. Lo llamé Chester por su hermoso color. No le tomó mucho tiempo el encontrar el sillón más cómodo de la casa y apropiarse del de él. Chester y yo nos hicimos de inmediato muy amigos. Para mi sorpresa, también se llevaba bien con el resto de los gatos de la casa. Como los otros gatos, adoptó su rutina diaria. Salía por la gatera a la noche y regresaba cada mañana para su desayuno. Una mañana, Chester no regresó. Lo esperé todo el día y esa noche, pero nunca apareció. De alguna manera, sabía que no iba a regresar. y estaba muy triste.

Con el paso del tiempo, a menudo me preguntaba: "¿Qué le habrá pasado al querido Chester?".

Entonces, un día, mientras caminaba por el vecindario, vi un gato durmiendo en un porche. Tenía el mismo color castaño de Chester. Cuando me acerqué, me di cuenta de que ¡era Chester! Lo llamé por su nombre y se acercó ronroneando y se frotó contra mi cuerpo. Estaba tan feliz de verlo de nuevo. Cuando me inclinaba para acariciarlo, oí la voz de una mujer

que lo llamaba: "¡Smoky! Ven aquí, Smoky". El gato de
inmediato se volvió y caminó hacia la voz. Levanté la vista y vi
a una mujer anciana en la puerta del porche. Me acerqué, me
presenté y le conté sobre Chester.

Me invitó a pasar y tomar una taza de té. Cuando nos sentamos en la cocina, la mujer me contó que el gato había aparecido
en su porche varios meses antes. Ella dijo: "El insistió en
quedarse". Luego me dijo que podía llevarlo a casa conmigo.
Yo estaba encantada. Pero cuando lo levanté para llevármelo a
casa, Chester saltó de mis brazos. En ese momento nos
miramos a los ojos. Pude sentir su energía y supe que me
amaba, pero parecía transmitir que tenía que hacer algo que
era más importante. Supe entonces que no podía retenerlo.

Me despedí con un beso en la punta de su cabeza y le dije
a la señora: "Está todo bien. Ésta es su casa ahora. Él se
quedará con usted". Una sonrisa apareció en su cara. Me di
cuenta de que estaba muy aliviada y agradecida por poder
quedarse con su pequeño amigo. Mientras me iba, me agradeció
una y otra vez.

Unos seis meses más tarde, me encontré con la misma
señora en el supermercado.

Le pregunté por Chester. Me contó que muy poco después
de nuestro encuentro, le habían diagnosticado cáncer a su
marido y había muerto. Me impresionó la noticia y le di mis
condolencias. Me dijo que durante la enfermedad de su marido,
Chester se había quedado en la cama con él, para mantenerlo
tranquilo y en paz. Sentía que el gato había sido un regalo del
cielo. "No sé qué hubiera hecho sin él." Nos despedimos y le
prometí que la visitaría para tomar el té. Mientras me alejaba,
me di cuenta de que Chester en realidad tenía algo importante
que hacer. Es como si hubiera sido un ángel enviado del cielo
para consolar a esa mujer. Me sentí muy feliz de que Chester

estuviera allí cuando ella más lo necesitaba y muy contenta de que también hubiera sido parte de mi vida.

—Carol Carpenter
Reseda, California.

Nellie y la Vieja Madre Gallina

He tenido una granja con gallinas durante treinta y cinco años y he tenido mi parte de mascotas y animales. Sé que ellos son un regalo para nosotros mientras estamos en la Tierra. Espero que, cuando llegue mi momento, seré recibido en el cielo por todos los animales y mascotas de la granja que fueron parte de mi vida y la hicieron tan feliz.

Siempre hemos tenido muchos patos y gansos y yo creía que ya había visto todo, pero este episodio se destaca en particular. Hace unos cinco años, teníamos una pata pequinesa blanca llamada Nellie. No tardó en convertirse en la favorita de nuestros nietos. La alimentaban todos los días y la dejaban flotar con ellos en la pequeña pileta de plástico. Durante las Pascuas, le ponían un moño en el cuello y la llamaban el Pato de Pascuas. Cuando los chicos salían a buscar los huevos de Pascuas, ella los seguía y hacía un escándalo con sus graznidos. Nellie no era una pata cualquiera, era realmente un miembro de la familia. No era raro encontrarla en la cocina a la hora de la comida. Mi esposa le colocaba su comida en un cuenco y ella picaba allí, haciendo un ruido terrible raspando el fondo con el pico. Esa primavera, Nellie dejó varios huevos en el granero. Todavía no había comenzado a empollarlos, pero los mantuvo totalmente cubiertos y fuera de la vista.

Un día, un camión de reparto entró por nuestro camino. Desgraciadamente, el conductor no pudo ver a Nellie, quien de manera accidental se puso en su camino. Le pasó por encima y murió instantáneamente. Fue una tragedia. Al principio nos quedamos muy conmocionados. Todos nos sentíamos muy aconjogados, en especial nuestros nietos. Fue muy duro para ellos. Mi esposa Helen y yo, no sabíamos qué hacer con los huevos de Nellie, pero deséabamos mantener viva su cría si era posible.

Helen pensó en colocar los huevos bajo alguna gallina, en el gallinero. Era una apuesta. Teníamos que confiar en que podríamos mover los huevos sin perturbarlos demasiado. La más leve sacudida podía terminar con la vida de los embriones. Y después teníamos que confiar en que nuestra gallina no echara a los transgresores de su nido.

De forma milagrosa, el plan funcionó. Treinta días más tarde se abrieron los huevos y salieron tres adorables patitos. Aunque eran diferentes de todos los otros pollitos, se conec-taron de inmediato con la gallina como si fuera la madre y ella también los adoptó. Era muy poco habitual, pero resultaba maravilloso verlos.

Al día siguiente, la gallina madre salió del gallinero seguida por sus patitos. Cuando pasaron ante un gran charco formado por la lluvia, en la parte de atrás de la granja, los patitos se dirigieron directamente al agua y comenzaron a chapotear. La gallina se enloqueció y comenzó a cacarear hasta quedarse sin aire. Mi esposa y yo salimos corriendo de la casa para ver que era toda esa conmoción. La gallina daba vueltas alrededor de los patitos, gritándoles que salieran. Los pobres patitos estaban muy confundidos. Era instintivo que se metieran en el agua. Con rapidez los sacamos para que la gallina dejara de cacarear. Entonces ella los controló cuidadosamente, para asegurarse de que estuvieran bien.

Los patitos crecieron y se convirtieron en patos con todas sus plumas. Siguen a nuestros nietos por toda la granja, de la misma forma en que lo hacía Nellie. Y siguen relacionados con el gallinero y su madre sustituta. Cuando mi esposa y yo miramos a esos patos, sabemos que Nellie estaría orgullosa de ellos. Colgamos su moño en el gallinero, como un recuerdo de Nellie la Pata de Pascuas y la gallina madre que salvo a sus patitos.

—Benson Whittier
Aberdeen, Texas

VIVIR EL DUELO POR UNA MASCOTA

La pérdida de una mascota nunca es fácil de aceptar y sufrimos su pérdida como lo haríamos con la muerte de un ser querido. Cuando tu mascota hace la transición de este mundo al espiritual, puedes sentir una gran angustia, mientras pasas por las diversas etapas del duelo. Puedes sentir conmoción, ira, negación, culpa, tristeza y soledad. Debes expresar tus sentimientos, porque reprimirlos sólo hace que el proceso de duelo dure mucho más. No dejes que nadie te convenza de que "era solamente un animal". La realidad es que el amigo con quien compartiste tantas cosas se ha ido y es normal que experimentes trastornos emocionales. La estabilidad de tu rutina se ha visto alterada drásticamente y debes reorganizar tu modelo de conducta. Tu dolor y angustia son muy reales. Nunca permitas que alguien menosprecie, disminuya o niegue tus sentimientos.

Recuerda que cada persona, incluyendo los miembros de la familia, reaccionará en forma diferente ante la situación, así que nunca debes esperar que se comporten de la forma en que tú creías que debían hacerlo. La gente maneja las pérdidas de diversas maneras.

No es raro que alguna personas sientan culpa cuando muere una mascota. Sienten que podían haber hecho algo para prevenirlo. Todos nos sentimos muy inútiles cuando una mascota envejece o se enferma. Desearíamos que nuestros animales pudieran hablarnos, para decirnos dónde les duele. Recuerdo que en la época de mi divorcio, tuve que encontrar nuevos hogares para mis perros. La verdad es que fue más difícil separarme de ellos que lo que fue de mi esposa. Y pasé por una grave ansiedad por la separación. Por suerte, pude colocarlos con familias que los cuidarían y que sabía que los amarían. De todos modos, igual sentí mucha pena.

Vivir el duelo por la pérdida de una mascota, puede ser aún más traumático si vives solo y tu mascota era una parte íntima de tu amor y cuidado. Llorar la muerte de tu mascota es natural. Deja aflorar tus sentimientos, te ayudará a comenzar el proceso del duelo.

También es muy beneficioso compartir tus sentimientos con miembros de tu familia y amigos que puedan darte todo el apoyo que necesitas. Algunas personas pueden no ser muy sensibles a tu pena. Busca el apoyo de gente que ama a sus mascotas porque comprenderán cómo te sientes. Anque te resulte sorprendente, hay cientos de grupos de apoyo para la pérdida de mascotas. No dejes tampoco que te influencien con la sugerencia de que rápidamente tengas otra mascota. Necesitas vivir el duelo por tu mascota y no reprimir tu tristeza poniendo otra en su lugar para sentirte mejor.

Los padres tienen que explicar la muerte de la mascota a sus hijos. Eso puede resultar perturbador y confuso para ellos, en especial si ésta es la primera vez que se enfrentan con la muerte. Puede ser difícil explicar a los niños el proceso de morir y la muerte, pero debes hacer lo mejor que puedas, para que tus hijos entiendan que su mascota no volverá. Debes ayudarlos para que expresen todos sus sentimientos y, al mismo tiempo, imdicarles que los sentimientos son distintos en cada ser humano y pueden variar de un momento a otro. No debes esperar que sólo sientan tristeza, también pueden sentir soledad y enojo. Algunos chicos se enojan porque no entienden el motivo de que su mascota no esté. Tus hijos buscarán ayuda en ti. Utiliza ese tiempo como una oportunidad para enseñarles sobre la vida y la muerte. Asegúrate de que comprenden que la muerte de su mascota es parte de la vida. Y asegúrales que su mascota está bien. Diles que con el paso del tiempo, volverán a sentirse bien y felices.

Recuerdo la historia de una amiga, referida a su gata favorita. Al regresar una tarde después del trabajo, encontró una nota pegada en la puerta. Su hermosa gatita de largo pelo blanco había salido de la casa y la había pisado un coche. El empleado de control de animales de la zona había dejado esa nota, informando su muerte. Mi amiga me contaba: "Entré en mi apartamento y comencé a llorar sin poder contenerme. Todavía me quedaba la peor parte. Tenía que buscar a mi hijita, que estaba con una niñera, y contarle que nuestra adorada Queenie estaba muerta. Sabía que iba a ser muy perturbador para ella. Tuve que convencerla de que no era culpa de nadie. Las dos pasamos esa noche compartiendo recuerdos, expresando la pena y llorando por nuestra amada amiga. Al día siguiente, mi hija me dijo: 'Mami, ya no puedo llorar más. Duele demasiado. No hablemos de la gata por un rato, hasta que nos sintamos mejor'. Creo que eso era lo más sabio que podíamos hacer entonces. Gracias a Dios nuestros otros dos gatos estaban bien y a nuestro lado". Mi amiga cumplió con los deseos de su hija y apoyó los sentimientos de la niña. En lugar de quitarle importancia, permitió que su hija viviera su pena a su manera. es importante que demos a cada uno en la familia el espacio que necesita para vivir su duelo.

La mayoría de la gente expresa su amor por sus animales, haciendo un servicio fúnebre por ellos. Puedes enterrarlos en el fondo de tu jardín y señalar el lugar, como mi hermano y yo solíamos hacer. Puedes hacer que tus hijos hagan un dibujo o escriban una historia sobre la mascota. Puedes juntar fotos de tu mascota y guardarlas en un álbum, como un recuerdo. Lo que te haga sentir bien, estará bien. Algunas personas quieren algo más formal y eso puede conseguirse por medio de diversas organizaciones que se especializan en servicios para mascotas.

Vivir el duelo por una mascota es un proceso. Recuerda que te encuentras en un estado vulnerable y que cada día puede ser diferente del siguiente. Toma un día por vez. Al final, el vacío que sientes, se llenará lentamente con los amorosos recuerdos de momentos compartidos con tu animal. Recordarás momentos felices o divertidos y es así como debe ser. Cuando recuerdes, disfruta de ello. Ríe otra vez. Experiméntalo como si todavía estuvieras allí y luego trae esos sentimientos a tu conciencia actual. Recuerda que no hay un período de tiempo establecido para vivir el duelo. No debes sentirte avergonzado o enojado por no ser capaz de terminarlo de inmediato. Mientras reacomodas tu rutina diaria, la tristeza y el dolor se calmarán. En ese punto, puedes estar preparado para adoptar otro amigo y compañero y compartir tu amor con esa nueva mascota.

Eutanasia

Muchas veces me han interrogado personas que tuvieron que poner sus animales a "dormir", sobre si habían hecho lo correcto. Estaban abrumados por la culpa y muchos tuvieron problemas para perdonarse este acto final. La decisión nunca es fácil y siempre está acompañada de una variedad de emociones.

No hay forma de que pueda decirle a una persona si la eutanasia es una buena o mala elección. Desde una postura personal, siempre digo que depende de la motivación que hay detrás de ese acto. ¿Esa decisión fue tomada por amor y cuidado por la salud del animal? ¿Estás realizando un acto de bondad porque el animal sufre dolores tremendos o la calidad de su vida está comprometida? Cada persona que es dueña de un animal, tendrá que buscar en lo profundo de su corazón, para sentir qué es bueno para él. Recuerden que el animal tiene un alma y su alma nunca podrá ser dañada.

También mucha gente me ha preguntado: "¿La eutanasia es un proceso doloroso?". No soy un profesional en veterinaria, así que hay que consultar a una fuente adecuada. En la investigación para este capítulo, el veterinario con el que me puse en contacto me informó que la eutanasia no es un proceso doloroso. En general, les aplican un calmante y el animal se queda profundamente dormido y su espíritu sale de su cubierta física.

Según Bruce Fogle, veterinario y autor de *Pets and Their People* (Mascotas y su gente), las siguientes razones son las más adecuadas para terminar con la vida de una mascota:

1. Daño físico abrumador.
2. Enfermedad irreversible que ha llegado a un punto donde no se puede controlar las molestias y angustia.
3. Deterioro causado por la vejez que afecta permanentemente la calidad de vida.
4. Daños físicos o enfermedad que traen como consecuencia una pérdida permanente del control de las funciones corporales.
5. Agresividad con riesgo para niños, dueños u otras personas.
6. Enfermedad incurable que es peligrosa o mortal para los humanos.

Si decides que la eutanasia es necesaria para tu animal, busca a un grupo de apoyo emocional. Explícales que vas a necesitar de su afecto, cuidado y ayuda en determinado momento. Eso puede incluir que te acompañen al veterinario o también que te ayuden a organizar un servicio fúnebre. Recuerda, nadie sabe, ni siquiera tú, cómo y en qué grado te afectará eso. Por lo tanto, asegúrate de contar con una red de seguridad de gente cercana. Es sorprendente todo lo que hacemos para asegurarnos de que nuestra mascota no sufra dolor y angustia y lo poco que nos ayudamos a nosotros mismos con nuestro estrés y confusión. El único que puede tomar esa decisión eres tú. Recuerda que tu amada mascota siempre estará contigo en espíritu y, cuando sea tu momento de morir, volverás a experimentar la estrecha y reconfortante conexión amorosa que tú y tu mascota compartían en la Tierra.

PAUTAS PARA LA CURACIÓN

- ❧ Permítete pasar por todo el proceso del duelo.
- ❧ No niegues tus sentimientos. Perdiste un compañero significativo en tu vida y éste es el momento de expresar tus emociones. Llorar es normal. Comparte tus sentimientos con miembros de tu familia. Al mismo tiempo, ocúpate de los sentimientos de tus hijos.
- ❧ Despídete de tu mascota. Tal vez quieras un servicio fúnebre. Puede ser simplemente encender una vela y decir una oración. O puede ser algo más elaborado, con poemas, fotos, juguetes de la mascota, etc. Debes hacer lo que sea mejor para ti y tu familia. Como con cualquier duelo, es importante tener alguna intimidad.
- ❧ Únete a un grupo de apoyo para la pérdida de mascotas y comparte la pena y la angustia. Otros dueños de mas-

cotas comprenderán tu situación y serán un buen apoyo. En general, tu veterinario te podrá dar información sobre esos grupos de ayuda. También puedes buscar en Internet. Hay muchos sitios dedicados al duelo por la pérdida de mascotas.

§ Ayuda a tus hijos escuchándolos y animándolos con los sentimientos sobre el animal. Jamás reprimas los sentimientos de un niño o lo fuerces a olvidarlos. Si tus hijos son muy pequeños, puedes hacerlos dibujar para expresar lo que sienten y animarlos a recordar todas las características que les gustaban en la mascota.

§ Avisa a la maestra de tus hijos sobre esa pérdida. Es normal que un niño exprese las emociones relacionadas con ese dolor durante el tiempo que está en la escuela. A la maestra le dará trabajo evaluar los cambios de humor del niño si no está al tanto de la situación.

§ Durante el tiempo del duelo, establece nuevas rutinas diarias. Haz algo diferente que ocupe el tiempo de la rutina que tenías con tu mascota o cambia el orden de cómo hacías las cosas. Esto puede incluir cambiar los muebles en tu casa o hacer actividades en diferentes momentos del día.

§ Dedica algo en nombre de tu mascota a una organización, como hacer plantar un árbol o un rosal, como un recordatorio. Tal vez quieras colocar una placa con el nombre de tu mascota y alguna frase especial. También puedes hacer una donación en nombre de tu mascota, para una organización para los animales.

§ Saca los juguetes, la comida, la cama, etc. de tu mascota. Tener esas cosas puede irritar tus emociones y mantenerte triste y deprimido.

§ Prepara una lista de todas las maravillosas características de tu mascota.¿Qué es lo que te enseñó esa adorable

compañera sobre la vida y sobre ti? ¿Cambiaste debido
a tu mascota?

§ Si sientes que deseas tener un nuevo animal, escribe
una lista con todas las cualidades que quieres para esta
nueva mascota. ¿Qué es lo que cambiarías en ti para
compartir la vida con un nuevo animal?

§ Date cuenta de lo afortunado y bendecido que resultaste
por haber compartido una experiencia tan única con
otro ser viviente y de la cantidad de amor que había
entre ustedes.

§ Cada día, trata de hacer algo positivo para ti.

§ Éste es el momento para el egoísmo y la comprensión
de uno mismo. Mientras pasas por el proceso de duelo,
toma todo el tiempo que puedas de tus actividades
diarias. Conozco a mucha gente que se ha tomado li-
cencia del trabajo cuando se les murió la mascota.

~

El Puente del arco iris

Al borde de los bosques, al pie de una colina,
hay una pradera verde, exuberante, donde el tiempo per-
manece inmóvil.
Donde los amigos del hombre y la mujer pueden correr,
Cuando el tiempo de ellos en la tierra está cumplido y ter-
minado.
Porque aquí, entre este mundo y el siguiente,
Es un lugar donde cada criatura amada encuentra descanso.
En esta tierra dorada, ellos esperan y juegan
Hasta que un día crucen el Puente del Arco Iris
Ya no sufrirán más, ni pena ni tristeza
Porque aquí están completos, sus vidas llenas de júbilo

Sus miembros están intactos, la salud renovada
Sus cuerpos fueron curados, e impregnados de energía
Retozan por la hierba, sin ningun cuidado
Hasta que un día se detienen y olfatean el aire
Todas las orejas levantadas hacia adelante, los ojos mirando de un lado al otro
Entonces súbitamente, uno se separa del grupo
Por sólo un instante, sus ojos se han encontrado
Juntos otra vez, la persona y la mascota
Así que corren uno hacia el otro, esos amigos desde hace tanto tiempo
El tiempo de su separación finalmente terminado
La tristeza que sentían mientras estuvieron separados
se ha convertido en alegría una vez más en sus corazones
Se abrazan con un amor que durará para siempre
Y luego, lado a lado, cruzarán juntos.

Steve y Diane Bodofsky

PARTE IV

Recuperar nuestra vida

9

Autoarmonía

Vivir el duelo representa, en un sentido, las etapas finales de una parte de nuestras vidas y, al mismo tiempo, señala un nuevo comienzo. Vivir el duelo nos permite purificarnos para poder iniciar una nueva parte de nuestra travesía, renovados, energizados y un poquito más sabios. El universo nos ha proporcionado a cada uno de nosotros, todo el equipo necesario para permitirnos atravesar y pasar por nuestras pérdidas.

Las pérdidas de cualquier forma, así como cualquier obstáculo que encontremos en la vida, representan una verdadera oportunidad para que cada uno de nosotros se pruebe y crezca espiritualmente. Reconocer la oportunidad nos permitirá enfocar la experiencia como un viaje de descubrimiento. Es un viaje muy especial que nos lleva a nuestro interior y nos permite vernos como nunca antes. No podemos evitar transformarnos.

De ninguna manera estoy reduciendo el dolor y el sufrimiento que experimentamos física y emocionalmente, pero una vez que podamos aceptar que todo es parte de la experiencia humana, podremos empezar a colocar las cosas en su adecuada perspectiva. Lo que estoy tratando de compartir con cada uno de ustedes es que la pérdida humana es sólo una separación temporaria de seres espirituales que han compartido juntos la experiencia física. Es algo que he repetido muchísimas veces y en lo que creo con todo mi corazón: los lazos de amor compartidos en el plano físico, son los lazos que permanecen vivos para siempre.

Si tu sistema de creencias acepta la vida eterna, así como la seguridad de que volverás a ver a tus seres queridos y de que siempre estarán contigo, entonces serás capaz de renovar tu compromiso con la vida. Simplemente recuerda que no es el fin, es el comienzo.

Este capítulo se refiere a recuperar tu vida mientras elaboras el duelo. Pensando en eso, he creado meditaciones y ejercicios que te ayudarán a expresar tus sentimientos, así como a liberarte de actitudes y conductas indeseables. Mientras vas adquiriendo una nueva conciencia, descubrirás que, en realidad, has sobrevivido a tu duelo.

Recordatorios sanadores

Descubrí que, cada vez que caigo en un pozo inesperado por una pérdida, debo volver a los fundamentos espirituales. Debo recordarme a mí mismo que yo estoy al mando de mi vida y que sólo yo tengo el poder de elegir mi próximo paso. ¿Voy a reaccionar ante una situación o la voy a usar para "actuar" en una nueva forma o con una nueva actitud? A menudo las cosas ocurren con tanta rapidez que casi no tenemos tiempo para pensar. Es entonces cuando tenemos que recordar algunas de las verdades más básicas.

Para poder avanzar más allá de tu dolor y angustia y sentirte reconectado con tu verdadero ser, tendrás que cambiar algunas de tus actitudes negativas con respecto a la vida, por otras de alegría y felicidad. Ésa es la única forma por la que podrás lograr el máximo de tus experiencias futuras. Confío en que la lista de ideas y afirmaciones que sigue pueda ayudarte a alcanzar la misma inspiración y estímulo que yo he recibido de ellas.

1. El amor nunca muere.
2. El miedo es una ilusión. Sólo el amor es real.
3. Considera cada momento como una bendición.
4. Las lágrimas purifican la herida y abren mi corazón a un futuro más feliz.
5. Mientras alivio mi dolor, todos los miedos, amarguras y dolor se disuelven en mi corazón y descubro la alegría de vivir.
6. Cada pensamiento está creando mi futuro.
7. De cada gota de lluvia, nace un arco iris.
8. Las pérdidas de hoy son los logros de mañana.
9. Una persona sabia nunca deja de aprender.
10. Cuando la oportunidad golpea a mi puerta, estoy preparado para abrirla a nuevas posibilidades.
11. Valoro cada momento con aquellos a los que amo y les hago saber lo que tengo en mi corazón.
12. Puedo elegir estar centrado en el medio de la confusión.
13. La tierra es el aula del colegio y nosotros somos los alumnos. Todos tomamos diferentes cursos y nos recibimos en diferentes momentos.
14. Yo no puedo controlar el universo, pero puedo controlarme a mí mismo.
15. Hay que hacer un esfuerzo para participar en el baile de la vida.
16. Es bueno compartir una lágrima, una risa, un suspiro, con un amigo. Ambos seremos curados en nuestro amor.
17. En lugar de juzgarme a mí mismo o a algún otro, tengo pensamientos amorosos.
18. Dar sin ninguna expectativa a cambio.
19. Nada se pierde, algo se está transformando.
20. Acepto al amor como el poder curativo de mi vida.

Términos metafísicos

En las siguientes meditaciones y ejercicios, me refiero a diversas frases y términos metafísicos que necesitarán comprender. Al establecer nuestro ambiente con equilibrio y armonía, tu trabajo espiritual será mucho más satisfactorio.

Espacio

Cuando hagas estos ejercicios, es muy importante que estés totalmente cómodo y puedas relajarte. La mejor forma de permitir que tu energía fluya, es sentarte con la espalda derecha en una silla o sillón. Desgraciadamente, una cama puede resultar demasiado cómoda y podrías quedarte dormido y los ejercicios requieren que estés activo y alerta. Deja a mano un vaso de agua, por si tienes sed. Ten cerca también un cuaderno y una lapicera, para poder escribir los fragmentos de sabiduría espiritual cuando lleguen a tu conciencia. Prende incienso si eso te ayuda a sentirte más relajado. Quizás quieras colocar unas flores para embellecer el lugar. Asegúrate de que tu espacio esté lo más aislado posible de los ruidos exteriores. Ahora es el momento de apagar teléfonos, televisiones y cualquier otra cosa que pueda perturbar tu tranquilidad. Aprende a que puedes sobrevivir sin estímulos exteriores. También fíjate que tu ropa sea suelta y que la temperatura de tu habitación no sea ni muy calurosa ni muy fría.

Tiempo adecuado

Para que puedas recibir el máximo efecto del ejercicio, debes proponerte ser una parte activa en la curación. Por consiguiente, tienes que darte el tiempo adecuado para hacer este trabajo. No importa cuál sea el momento del día que elijas, la mañana, la tarde o la noche. Si es posible, lo mejor es estar solo, para que nada te distraiga. Es imprescindible que no haya interferencias de afuera. Reserva el tiempo adecuado para realizar esos procesos curativos. Debes proponerte lograr unos pocos minutos de paz ininterrumpida, para poder hacer bien los ejercicios y recibir el beneficio óptimo.

Concentrarse o centrarse

Éste es un proceso que nos hace llegar al conocimiento de nosotros mismos con la parte media de la frente. Vas a hacerlo cerrando los ojos y aminorando la respiración. Comienza por respirar lenta y profundamente varias veces. Toma conciencia de la forma en que tu respiración empieza a relajarte. Date cuenta de que tú tienes el control de la respiración y que no es ella la que te controla. Comienza a tomar conciencia de lo que sientes en tu cuerpo. Comienza por la cabeza y sigue bajando por el cuello, los hombros y los brazos. Siente que tu pecho se mueve hacia adentro y hacia afuera cuando los pulmones se expanden y se retraen. Toma conciencia del estómago y la zona pélvica. Enfoca tu atención en la espalda y caderas y luego baja tu concentración por las piernas y los pies. Mientras inspiras, visualiza o siente que cada molécula del aire está refrescando, relajando, renovando y revitalizando cada parte de tu ser. Contémplate "en control" de tu cuerpo y tu mente. Relájate y déjate simplemente ser. Lleva tu concentración al tercer ojo, que está localizado justo encima del puente de la nariz. Ahora ya estás centrado, listo para el paso siguiente.

Soltar

Tendrás que soltar o liberarte de diversos sentimientos, pensamientos y creencias, mientras haces estos ejercicios. Cuando te liberas, la energía interior de la fuerza de Dios hace el trabajo y tú te sientes liberado de las preocupaciones que estabas cargando. La lucha por controlar todo ha terminado. En este punto te darás cuenta de que todo en la vida se mueve con sus propios tiempos y a su propio ritmo. Al comprender esto, podrás relajarte y disfrutar de la vida.

Recargar

Después de completar un ejercicio, experimentarás una nueva sensación de conciencia. Tendrás una perspectiva más positiva de la vida y te sentirás con más dominio sobre ella. Estarás alimentado. Es importante que mantengas ese estado de conciencia a través del día, en especial en las épocas en que te sientes estresado o cuando comienzas a caer en un patrón de autocastigo.

Describir vívidamente

Así llamo a tu capacidad para visualizarte o sentirte viviendo o llevando a cabo tus metas futuras activamente. Esas metas pueden ser físicas, emocionales, mentales o espirituales. Cuanto te encuentras en el estado de "describir vívidamente", estás viviendo a pleno en el momento de la meditación o visualización en particular.

Meditaciones

Meditación para curarse uno mismo

Utiliza esta meditación orientada a lograr una sensación de bienestar y equilibrio en tu interior. La curación funciona en muchos niveles al mismo tiempo y aunque puede ser que no sientas un cambio físico, muchos niveles que no ves están siendo transformados. Recuerda que no basta con pensar o decir las palabras, sino que también debes sentir su contenido. El proceso es más efectivo cuando tus pensamientos y sentimientos se corresponden. Cuando comienzas una meditación, asegúrate de haber establecido tu espacio y de haber pasado por el proceso de concentración.

Al sentarte en la silla, cierra los ojos y toma conciencia de tu respiración, tu cuerpo y la atmósfera que te rodea. ¿Estás cómodo? ¿Tu mente se distrae con pensamientos extraños? Si es así, simplemente reconoce cada pensamiento y déjalo ir. No los juzgues. Respira en profundidad varias veces y sigue centrándote. Mientras recorres cada parte de tu cuerpo, imagina que te relajas y te fundes en la nada. Después de completar eso, simplemente quédate sentado y siente la paz y la quietud.

Luego imagínate flotando sobre un océano de aguas que se mueven con suavidad. Ahora siente el calor de una inmensa luz brillante que toca tu cuerpo. Los brillantes rayos dorados tocan cada célula de tu ser. Siéntelo. Imagina que te elevan y empujan en esa hermosa luz que brilla por encima de ti. Te envuelves con esa maravillosa luz espiritual y te cubres con su vibración curativa y su amor incondicional. Mientras toca gentilmente cada célula de tu cuerpo, lleva a cada parte de tu ser a un adecuado equilibrio y armonía. Tal vez necesites cierta curación emocional. Siente que la luz crea paz y calma en tu interior.

Deja que la luz ilumine ahora a la persona o a la situación

que necesita curación. Comienza a ajustarte a los pasos necesarios para el perdón y la terminación. Esta gran luz devuelve el bienestar y la curación donde se desea. Ahora contémplate siendo absorbido en la luz, sintiéndote aun con más paz. Disfruta este sentimiento por unos momentos.

Cuando salgas de la luz, imagínate en un jardín llamado Mi Ser Interior. El jardín está formado por una variedad de flores y árboles y cada uno simboliza un aspecto de quién eres tú ahora y la situación en la que te encuentras en este momento especial. Observa el jardín. Inspecciona el jardín. ¿A qué se parece? Este jardín es como un espejo mágico de tu ser interior. Te muestra lo que necesita ser curado. Tal vez hayas observado un árbol frutal sin frutos. Eso puede significar que no estás "dando frutos" o viviendo de acuerdo con tu capacidad. ¿O si ves una flor marchita en su planta, no te está diciendo que necesitas alimento y amor para poder crecer?

¿Estás viendo raíces o enredaderas que se apoderan de tu jardín? Esto puede representar gente, situaciones y cosas en tu vida que están agotándote y sofocando tu potencial para descubrir la belleza de tu ser. Tal vez algunas de las flores están perdiendo los pétalos. Pregúntate: "¿Qué parte de mí no está completa? ¿Cómo puedo completarla?".

Sigue observando. ¿Hay algo que falta en tu jardín? ¿Puedes ver hoyos abiertos o lugares vacíos donde no crece nada? Mientras meditas, pregúntate: "¿Qué flor falta? ¿Qué puede representar esa flor? ¿Qué pasos debo dar para hacer que este jardín luzca lo mejor posible? ¿Qué debo cambiar para hacerlo más agradable?".

¿Qué te dicen las respuestas sobre ti y tu propia vida? ¿Qué lecciones tienes que aprender sobre ti, para poder crecer y brillar? No necesitas preguntarle a otro en busca de las respuestas. Mira en tu interior y encuentra por ti mismo las respuestas.

Ahora date una palmada en la espalda. Agradécete porque

penter Freeway, #700,Irving, TX 75062. 800- GET-MADD. Una organización para detener a los conductores ebrios y apoyar a las víctimas. Http://www.madd.org

The NAMES Proyect Foundation, 310 Townsend Street, Suite 310, san Francisco, CA 94107. 415-882-5500. Un grupo de apoyo a víctimas del sida.

National Hospice Organization (NHO), 1901 North Moore Street, Suite 901, Arlington, VA 22209. 800-658-8898. Derivaciones a programas, servicios, grupos de apoyo. Asesoramiento a individuos y familias para los que sufren enfermedades terminales. Http://nho.org

Parents of Murdered Children (POMC), 100 East Eighth Street, B-41, Cincinnati, OH 45202. 513-721-5683. Autoayuda para padres, familias, amigos de víctimas de homicidio. Http://pomc.com

SHARE Pregnancy and Infant Loss Support. National office- St. Joseph Health Center, 300 First Capitol Drive, St. Charles, MO 63301. 800-821-6891. Apoyo para familias afligidas por abortos espontáneos, problemas al nacer o muerte neonatal.

SIDS Alliance, 1314 Bedford Avenue, Suite 210, Baltimore, MD 21208. 800-221-SIDS. Apoyo para familias afligidas por el sindrome de muerte infantil súbita. Http://www.sidsalliance.org

Widowed Persons Service (WPS), AARP, 601 E Street. NW, Washington, DC 20049. 202-434-2260. Apoyo para viudas y viudos de todas las edades.

Fuentes de Internet

Http://www.griefaid.com
Http://www.grief-recovery.com
Http://www.webhealing.com
Http:://www.meetingofhearts.com
Http://www.petloss.com
Http://www.sids-network.org

Bibliografía

General

Crenshaw, David A. *Bereavement: Counseling the Grieving Through the Lyfe Cycle*. New York: Crossroad, 1990

Katafiasz, Karen. *Grief Therapy*. Saint Meinrad, IN: Abbey Press, 1993.

Markham, Ursula. *Element Guide to Bereavement: Your Questions Answered*. Boston: Element Books, 1996.

O'Connor, Nancy. *Letting Go with Love: The Grieving Process*. Tucson, AZ: La Mariposa Press, 1985.

Ray, Veronica. *Choosing Happiness: The Art of Living Unconditionally*. Center City, MN: Hazelden Information and Educational Services, 1990.

Shaw, Eva. *What to Do When a Loved One Dies*. Irvine, CA: Dickens Press, 1984.

Tatelbaum, Judy. *The Courage to Grieve*. New York: Harper-Collins, 1984

White Eagle. *Beautiful Road Home: Living in the Knowledge That You Are in Spirit*. White Eagle Publishing Trust, P.O. Box 550, Marina del Rey, CA 90294-0550.

White Eagle. *Sunrise: A Book of Knowledge and Comfort for the Bereaved*. White Eagle Publishing Trust, P.O. Box 550, Marina del Rey, CA 90294-0550.

Niños/Adolescentes

Fitzgerald, Helen. *The Grieving Child: A Parent's Guide*. New York: Simon & Schuster, 1992.

Sanders, Catherine M. *How to Survive the Loss of a Child: Filling the Emptiness and Rebuilding Your Life*. Rocklin, CA: Prima Publishing, 1992.

Schuurman, Donna L: *Helping Children Cope with Death*. Dougy Center, P.O. Box 86852, Portland, OR 97286.

Trozzi, Maria and Kathy Massimini. *Talking with Children about Loss*. New York: Berkley, 1999.

Divorcio

Everett, Craig and Sandra V. Everett. *Healthy Divorce*. San Francisco: Jossey-Bass, 1998.

McV ده, Micki. *Getting Up, Getting Over, Getting On: A Twelve-Step Guide to Divorce Recovery*. Beverly Hills, CA: Champion Press, 1999.

Webb Dwight. *Divorce and Separation Recovery: Ten Stages of Grieving Relationship, Loss and Finding Yourself*. Portsmouth, NH: Peter E. Randall, 1996.

Mascotas

Hanna, Jack. *Jack Hanna's Ultimate Guide to Pets*. New York: Berkley, 1998.

Sife, Wallace. *The Loss of a Pet*. New York: Howell Books, 1998.